東北大学名誉教授
日本学士院会員
小町谷操三
神戸大学教授
窪田宏
著

小町谷

商法講義

総則

有斐閣

再版のことば

一　この「商法講義」は、昭和一九年に、四巻に分けて出版したものである。それから今日まで、いくらかの訂正を加えただけで、版を重ねてきた。しかし巻一は、昭和二五年に会社法の大改正があったため、その大部分をかきかえる必要がおこった。しかもその後にも、会社法の一部改正がたびたび行われたため、新たに筆をとるひまがないまま、今日に至っている。そのあいだ、総則の部分だけ分冊をつくり、会社法の講義は、新法によって書かれた他の教科書を利用した。かつ総則の分冊も、一般に販売することをやめ、わたくしの講義をきく学生のために、非売品として分配するにとどめた。

二　二十三年も前に書いたものを、僅かばかりの修正を加えただけで、いまも使うことが許されないのは、いうまでもない。ことに、終戦後の大学教育の方法が、烈しい変更をうけたので、いまの法律学専門課程の学生のことをも考えつつ、旧版を出したのちの学説や判例の変化をみながら、新版を出すことにした。その仕事は、もちろん容易なことでない。よって、東北大学でわたくしの講義をきき、その後もひきつづき商法を専攻している、窪田宏君（神戸大学教授）、菅原菊志君（東北大学教授）、田辺康平君（中央大学教授）、本間輝雄君（大阪市立大学教授）の、協力を願うことにした。そして、窪田君は総則と商行為法（保険法を除く）と海商法とを、菅原君は会社法を、田辺君は保険法（海上保険を除く）を、本間君は手形法と小切手法を、それぞれ担当することになった。

執筆の根本方針は、商法全部にわたる教科書をかくために、各自が、貴重な時間を浪費することを、さけようということである。ゆえにこの「商法講義」は、全体としては、わたくしが旧版で述べたところを維持しつつ、それに適当な修正増補を加え、各執筆者の意見が、わたくしと著しくちがうところは、必要に応じて注記することにした。各執筆者の原稿は、全部わたくしが目を通し、かつ意見の交換をすると同時に、校正刷を他の執筆者に配布して、その意見を求める方法をとった。ゆえにこの「商法講義」は、わたくしのほか、四人の執筆者の協同作品ということができよう。

三　この「商法講義」をよむ学生諸君に、わたくしが望むことは、悉く初版のはしがきに示してある。それを改める必要は全くない。もしそれに附言することを許されるならば、新制大学における商法の講義時間が短かすぎるため、この書物にかいてあることの全部を、教室で講義することすら、甚だむずかしいこと、それゆえ、学生諸君の予習と復習とが、非常に要求されることである。

昭和四二年二月一九日

小町谷操三

はしがき

□

私は大正十三年から東北帝國大學法文學部に於て毎年商法の講義をしてきた。その長いあひだ、私は出來うる限り先輩や同僚が書いた教科書を使用し、私としては自分の考を述べて行く方針をとつた。それは之等の教科書がいづれも學生諸君のために、その著者の非常に貴重な研究時間を奪つて書かれたものであるのに、私が更に研究時間を教科書のために割くのは、その著者たちの大きな犠牲を無にすることだからである。

然るに商法は手形法及び小切手法の改正についで、第一編及び第二編の廣い範圍に亙る改正を見、更に商行爲編及び海商編の條文の番號が悉く變更せられて終つたため、改正法によつて講義をして行くのには、どうしても自分で教科書を作るよりほか方法がなくなつた。かくして必要に應じて講義の原稿の拔萃を印刷してゐるうちに、いつしか商法の全部に亙る教科書が出來てしまつた。

□

かやうにして全部出來てみると、商法全般に亙る手頃な教科書のない現時に於て、殊に教科書の配給が不充分な事情の下に於ては、これを公刊することにかなり意義があると思つた。よつて一昨年の夏以來全般に亙つて修正を加へ、遂にこれを「商法講義」といふ書名を以て出版することにした。

私は最初これを上下二卷にするつもりであつたところ、頁數が豫想外に多くなつたため、印刷に取りかかる直前に豫定を變更してこれを四卷に分けることとした。且つ時局下の印刷能力を考へ、昨年の秋から始めた第三學年の講義に間にあはせるため、已むを得ず巻三の海商から印刷し、逐次手形・小切手、總則・會社、商行爲・保險の順序で出版することにした。

□

この「商法講義」は上に述べたやうに、私の講義の原稿の拔萃である。卽ち最初から學生が商法の講義を聽く場合の便宜を考へて書いてある。故にこの書物を讀む學生のうちに、『この書物のうちからどれだけを習得したらよいか』と問ふ者があるならば、私は直ちに『全部を習得せよ』と答へる。蓋し敎室で細かく說明を加へるやうな部分は、著者が既に悉く省略しておいたからである。

私は學生からしばしば、商法の敎科書がいづれも大部であるといふ歎聲を聞くのであるが、非常に條文の多い商法を、最初から僅か二三百頁の簡單な敎科書で理解しようといふ心掛が間違つてゐる。商法は我々の常識で理解出來ない多數の技術的な規定から成つてゐるから、これに一通りの說明を加へるだけでも相當の頁數を要するのである。簡單に知るといふことは一應學んだ後にいふべきことで、最初から簡易卽成を望むのは大に愼むべきことである。

□

この「商法講義」は商法について最少限を書いたものであるから、これを充分に理解するためには講義を聽くことが絕對に必要である。また聽講の自由を有しない攻學者は詳しい參考書の補助をうけなければならない。その參考書は各卷の目次の次ぎにこれを示すとともに、特に參考すべき書名は各卷の「はしがき」のうちに擧げることにする。

□

商法總論並に總則については田中耕太郎・「改正商法總則概論」、西原寛一・「日本商法論」第一卷を、また會社法については大隅健一郎・「會社法論」、田中耕太郎・「改正會社法概論」、田中誠二・「改正會社法提要」を參考することを薦めたい。なほ株式會社法と有限會社法については奧野健一外六氏共著・「株式會社法釋義」及び奧野健一外五氏共著・「有限會社法釋義」がよい參考書であることを附言しておく。

□

私はこの「商法講義」を恩師松本烝治先生に捧げる。先生からは商法總則、商行爲法、保險法、海商法を敎へていただいた。また大學院で商法の專攻をすることになつた時に最初の指導敎官になつていただいた。爾來今日に至るまで、先生からは商法の硏究について絕えず御指導をうけてゐる。その先生にかやうな拙い書物を捧げるのは甚だ申譯ないと思ふのであるが、ただいつのまにか出來上つた商法全部の敎科書を、商法の手引をして下さつた先生に見ていただきたいといふ氣持から、この擧を敢へてしたのである。切に先生の御寬恕を乞ふ次第である。

□

この卷一の校正については法學士藏元安省君及び本學部の助手法學士島津一郎君と副手代員諸君並に本學部學生岡田茂秀君を煩はした。玆にしるして厚く謝意を表する。

昭和十九年二月二十八日

東北帝國大學法文學部硏究室にて

小町谷操三

目次

参考書

公刊された主要な参考書のうち、全般的なものだけをあげる。商法の全般および総則に関する詳細な文献については、西原寛一・「日本商法論」第一巻の巻頭五頁以下、および大隅健一郎・「商法総則」三四三頁以下にゆずる。なお左に掲げる書物の題名の下に（旧法）とあるのは、昭和一三年の改正以前のものの意味である。

商法全体に関する簡単なもの

石井照久・概説商法
鳥賀陽然良・商法要論（旧法）
大隅健一郎・大森忠夫・商法概説(1)(2)
田中誠二・改正新版商法要義
寺尾元彦・商法通論
西原寛一・商法学（岩波全書）
西本辰之助・商法概論（旧法）
野津務・新商法大要
松波仁一郎・新日本商法（旧法）
松本烝治・改正商法大意

総則に関する主要なもの

石井照久・商法Ⅰ㈠（商法総則）
大隅健一郎・商法総則（法律学全集）
大森忠夫・商法総則講義
実方正雄・商法学総論
竹田　省・商法総論（旧法）
同　　・商法総則（旧法）
田中耕太郎・改正商法総則概論
田中誠二・新版商法総論
西原寛一・日本商法論巻一（著者名だけで引用する）
同　　・商法総則一
同・商法総則・商行為法
野津務・商法総則（旧法）
米谷隆三・商法概論Ⅰ営業法
松本烝治・商法総論（旧法）

商法全体に関する主要な外国書

Düringer-Hachenburg, *Handelsgesetzbuch*, 3. Aufl., 5 Bde. seit 1930 (unvollendet).

Ehrenberg, *Handbuch des Handelsrechts*, 8 Bde., seit 1913 (unvollendet).

Ferri, *Manuale di diritto commerciale*, 3^{a} ediz., 1957.

Escarra, J., Escarra, E. et. Rault, *Principes de droit commercial*, tome I, 1934, tome VI. 1937.

Hamel, Lagarde et Jauffret, *Traité de droit commerciale*, t. 1, 1954, t. 2, 1966.

Gierke, J, *Handelsrecht und Schiffahrtsrecht*, 6. Aufl. 1949.

Lacour, *Précis de droit commercial*, 4 vols, 2e et 3e *éd.* depuis 1924, supplément, 1933.

Lehmann, K, *Lehrbuch des Handelsrechts*, 2. Aufl. 1912, 3. Aufl. v. Hoeniger 1. Halbband, 1921.

Lyon-Caen et Renault, *Traité de droit commercial*, 5e éd., 6 vol.

Lowe, Commercial law, 1964.

Lyon-Caen et Renault, *Manuel de droit commercial*, 15e éd., 1928.

Morandière, Rodière, Houin, Droit Commercial, t. 1, 2, 2e éd. 1962.

Müller-Erzbach, *Deutsches Handelsrecht*, 2. u. 3. Aufl., 1927.

Pollock, etc., *The commercial law of Great Britain and Ireland*, 2 vols., 1913.

Ripert, Durand et Roblot, *Traité élementaire de drait commercial*, 4e éd. 2t. 1959, 1960.

Smith, *A compendium of mercantile law*, 1924.

Staub, *Kommentar zum Handelsgesetzbuch*, 14. Aufl. 4 Bde., 1932–33.

Staub-Pisko, *Kommentar zum ADHGB.*, 1908–1910.

Thaller-Percerou, *Traité élémentaire de droit commercial*, 8e éd., 2 vol., 1931.

Vivante, *Trattato di diritto commerciale*, 5^{a} ediz., 4 vols, 1934–35.

Wieland, *Handelsrecht*, Bd. I, 1921, Bd. II, 1931.

雑誌・判例集等

民商法雑誌　昭和一〇年以降

Annales de droit commercial et industriel français, étranger et international, *depuis* 1886.

The journal of business law (J. B. L.)

参考書

Revue générale de droit commercial, *depuis* 1938.

Zeitschrift für das gesamte Handelsrecht und Konkursrecht, *seit* 1858.

烏賀陽然良・斎藤常三郎共編・現代外国法典叢書（昭和一三年以降）

Borchard-Kohler, *Die Handelsgesetze des Erdballs*, 3. Aufl., 14 Bde., 1906–14.

Lyon-Caen etc., *Lois commerciales de l'univers, depuis* 1911.

小町谷操三・伊沢孝平共編・商事判例集、同追録一及び二（商判集合本、追録１２として引用する）

小町谷操三編・新商事判例集一巻・二巻（新商判集１２として引用する）

司法省編・商事慣例類集

新日本法規・新判例体系民事法編（商法１）

啓法会出版・判例体系（商法の各編が別冊になっている）

第一法規・判例体系（商法一六、一六２、一六３）

判例研究

小町谷操三・判例商法巻一ないし巻三

鈴木竹雄・大隅健一郎編・総合判例研究叢書（商法）

東京大学商法研究会・商事判例研究　昭和二五年以降

民法判例研究会・判例民法　大正一〇年度ないし大正一一年度

民事法判例研究会・判例民事法　大正一二年度ないし昭和二一年度

商法総則

第一編　緒　論

第一章　商法の意義

一　商法とは、主として企業に関する法である。そして、ここで企業というのは、財産の不特定な増加を目的とする、経済上の力の投資である。換言すればそれは、不確定な損失の危険をおかして、財産や労力を使用し、そうすることによって、極大化された利潤、すなわち、できるだけ多くの利得をしようとする、実践活動である（一）。

一　商法との連関における企業概念の説明について、西原・一九頁以下、大隅・三七頁以下、大森・五頁以下、石井・九頁以下、田中誠・六頁以下、鈴木・商法の企業法的考察の意義（法学選集）八頁以下、日本国家科学大系七巻二四〇頁以下参照。

商法が、かように主として企業に関する法であるというのは、絶対的商行為という観念を認めると同時に（商五〇一）、形式上の商人という観念をも認めて（商四II）、純粋な商人法主義を、貫いていないからである。この絶対的商行為なるものは、商行為法で述べるように、立法論として認める必要がないし、形式上の商人は、取引の安全を保護するために認められたもので、その大部分が、営業をしている者（祖先伝来の道具類を、店舗を設けて売却するような稀な例を除く）であるから、商法第五〇二条を制限的列挙と解しないかぎり、おおむね実質上の商人である。ゆえに、商法が企業を主眼とする法であることは、きわめて明瞭である（八番参照）。

二　商法をごく概括的に観察すると、その大部分が債権法的規定から成っている。しかし商法にはそのほかに、物権法的な規定もあるし（例えば商五一、五二一、八四二以下）、会社に関する規定のように、まったく民法にその類例をみないものもある。のみならず、その債権法的規定のなかにも、民法中にその地位をみいだしえないものがある。例えば交互計算、匿名組合（商五二九ないし五四二）、共同海損、海難救助（七八八ないし八一四）に関する規定などがそれである。また民法中にその地位があるものでも、大部分は、民法の規定とちがった、独自の特色をそなえている。

このように、商法が民法にくらべて、或いは独特の制度をもち、或いは独自の特色ある規定をそなえているのは、商法が企業に関する法律であることに、起因するのであって、商法が民法に対し、独自の地位（自主性）を主張できるのは、実にそのためである。

三　商法は、主として企業に関する法であるが、われわれは日常、商人と頻繁に接触する必要があって（日用品の購入、交通機関の利用を想像せよ）、商人を相手とする取引には、いつも商法が適用される（商三）。また、現代における株式会社および証券市場の発達による、株式とか社債の流通は、一般人にも、株式会社事業への投資を容易にするから（小額の株式または社債を想像せよ）、ここにも、商法が適用される機会が非常に多い。それに、われわれの多くは、預金を通じて銀行と取引をするであろうし、手形や小切手などの利用も、著しく行きわたってきている。そうした意味で商法は、商人以外の者とも密接な関係をもっているものであって、資本主義の発展に伴い、いよいよその親密の度を加えつつある。

第二章　商法の特色

四　商法は、主として企業に関する法、すなわち財産と労力との投資により、財産の不特定な増加を目的とする行為と組織とに関する法、いいかえれば、資本主義にもっとも適した経営をすることに関する法であるから、その特色もまた、これらの点と関連して現われるのである。

(1)　企業は、財産の不特定な増加を目的とする実践であるから、常に堅実な計画に基づき、その利益を極大化するとともに、損失の危険を防がなければならない。いいかえれば、企業はよく整頓した商人的経営を必要とするのであって、株式会社のように、規模の大きい典型的な企業になると、単にその企業体のためだけでなく、国民経済の上からも、大いにその必要がある。これが、商法中に、商業帳簿(商三二以下)、会社の計算(例えば商二八一以下)などに関する干渉的な規定が、多くみられる理由である。

(2)　企業が、不特定な、しかもできるだけ多くの財産の増加を、計ろうとすれば、おのずから大きな資本が必要になる。しかし大きな資本による企業の経営には、同時に大きな危険を伴う。かくして、資本の蒐集と危険の分散の要求は、一方で、共同企業である匿名組合(商五三五以下)、会社(商五二以下)、船舶共有(商六九三以下)などの制度を生むと同時に、他方で、責任の軽減(例えば商二〇〇、六九〇)とか、保険というような制度(商六二九以下、八一五以下)の、設定をうながす。

(3)　企業は、一方で自己資本を利用するかたわら、他方で、ひろく内外の他人資本を動員することにより、できるだけ多くの利益を得ようとしている。ゆえに商法には、例えば匿名組合(損失の分担をしない匿名組合員を想像せよ)(商五三五以下)とか、授権資本や無額面株式(商一六六ⅠⅡ、一九九、二八〇ノ二、二八四ノ二、三四七、四〇九)、さらには、社債(商二九六以下)のような制度が設けられている。

(4)　企業は、財産の不特定な増加を目的とするから、企業自体すなわち取引が、安全かつ迅速に反覆されることを要する。ゆえに商法は、一方で行為の自由を徹底的に認めるとともに、他方で取引の迅速な解決方法(契約の成立、短期時効、除斥期間、その他懈怠による権利の喪失など)を認めている。

取引の安全性と迅速性の要求はまた、形式主義(例えば商二二五、五七一、六四九、七六九、八二三)と契約の定型化とをまねいている。普通約款の発達や、海上売買にみられる特殊な型の契約の出現などは、その著しい実例である。この普通約款の発達は、商人の企業危険を避ける目的とあいまって、取引の相手方に不当な不利益を及ぼすおそれがあるから、法は往々、普通約款を監督すると同時に(例えば保険一Ⅱ3、通運二一、倉庫八)、特殊の場合ではあるが、特約の禁止までする必要に迫られることがある(商七三九、国際海運一五Ⅰ)。しかし、法はまた他方で、企業の性質にかんがみ、企業上の危険の回避を必要とするところには、責任を軽減し(例えば商五七八、五八〇、六九〇)、さらには当然の免責を認めようとする傾向すら示している(国際海運三、四参照)。

(5)　取引が安全かつ迅速に行なわれるためには、また一方で、企業体の組織が、できるだけ明確であることを要するとともに、他方で、取引が外観主義に依存できなければならない。そこに、商人について、一方では、商業登記の制度が認められ(商九ないし一五、商登をみよ)、種々の機会に、登記が要求されるとか(例えば商五、七参照)、さらには商人の代理人や代表機関について、法定権限が認められる実際上の理由が、存在しているのであり(商三八、七八、二六一、七〇〇、七一二など)、他方では、種々の機会に、禁反言(estoppel)の原則(例えば商二三、五三七。文献について二五番3注一参照)が認められねばならない、一つの根拠があるわけである(商五七二、手一七参照)。

(6)　取引が迅速に行なわれるためには、また信用取引ができることが必要であって、交互計算制度(商五二九以下)が、その一つの手段である。のみならず、信用取引が安全に行なわれるためには、債権者に担保を与える必要がある。ゆえに商法では、担保物権ことに留置権(例えば商五一、五二一、七五三Ⅱ、なお五九番参照)もしくは先取特権について、さまざまな規定を設け(商八四二以下)、さらには担保附社債信託法のような特別法を、制定しているのである。

(7) 商人はその投資から、できるだけ多くの利益を得なければならないから、資本の固定を避けて、迅速にそれを流通させる必要がある。そこで商法には、有価証券制度が必要になる(手形、小切手、商五一九など参照)。この有価証券は、流通がその主な目的であるから、証券について、形式主義によることが認められるとともに(例えば手一、商五七一)、その記載について、証券的効力が認められるのである(例えば手一七、商五七二参照)。

五 商法の上述のようなきわだった特色は、いずれもみな、企業の目的に基づくものである。それらの特色を、さらにしぼっていうならば、企業が要求する集約性(intensive)、安全性および迅速性の三つに要約することができよう。しかも、これらの要求には、当然そこに、さまざまな技術をも必要とするから、商法の規定は、民法の規定にくらべ、きわめて技術的なものにならざるをえない。

六 以上は、企業観念というものを中心として、商法典や商事特別法などに現われている著しい特色を、あげてみたにすぎない。商法を民法と比較するならば、程度の差こそあれ、このほかにも、まだ多くの特色をあげることができる。しかしそれは、商法の各編や商事特別法などが規定している特殊な目的から、派生するところの特色である。また、上にあげた特色にしても、さらに、各制度の目的と関連させることによって、ますます、その存在理由を、はっきりと読みとることができるのである。ゆえに、われわれは商法の各部門が企業法として占めている地位を考えながら、またその各部門に現われている特色に着目しながら、商法の解釈にしたがうことを要するとともに、商法学としてはこれで満足すべきであろう。

第三章 商法発展のあと

第一節 世のうごき

七 商法史の研究は、けっして容易ではなく、また十分に開発されたものとはいえないが、社会学的にみると、商法は、国際法から国内法へ、また都市の特別法から一般私法へと、変遷したものである。詳しくいうと、人類が閉鎖家族経済をいとなむあいだは、団体が中心になり、個人の意思が認められないから、宗教的色彩の濃厚な民族の法、つまり民法だけがあって、商法はまだ存在しない。しかるに、孤立し敵視しあっていた異民族や異教徒のあいだで、たがいに交換する必要を感ずるようになると、そこにはじめて商法が出現する。つまり各団体は、まずその生活の必要を満たすために、明示的または黙示的に、一時的な平和条約を結んで交換を行ない、ついで市場を形成し、外国人を迎えて交換をとげるにいたるのである。商法は、そうした交換に伴なって成立するものであるから、それはまず国際法であり、平和の法でもあって、自由思想を基調としている。それはまた、個人的、俗人的、非形式的、任意的なものである。そうした点で、国民的、団体的、宗教的、禁圧的な民法と対立する。しかるに、一時的な市場は、漸次発展して、永久平和の保障をもつような都市の成立をみるにいたる。かような都市に、商業文化の育成を目的とする特別法が成立し、これがまだ都市を形成していない団体の民法と、あい対立する。ところが、文化の遅れた団体も、漸次進化して、都市を形成するとともに、これらの都市が、ついには国家を形成し、国民経済をいとなむようになる。国家では、都市の治安維持とか取引の安全保護などの必要から、国家を本位とした法を作り、それが同時に、各個人の地位を完全に認める。そうなったときに、従来のような、民法と商法との対立は消えて、これを包括した私法が成立するとともに、商法はその国際法的性質を失うにいたる。ただし、各国家はまた、あたかも孤立した家族団体が、相互に交換をしなければならなかった頃のように、相互の通商を必要とするとともに、現代では、世界経済が形成されているから、商法は国際取引の場面で、むかしの国際法であった時代の名残を、とどめるものである（本節の叙述については、小町谷訳ユヴラン商法史一頁以下、なお西原「近代的商法の成立と発展」法律学体系理論篇八五頁参照）。

第二節　法のうごき

八　法律的に商法の沿革を観察すると、商法は慣習から慣習法へ、ついで成文法へと発達している。詳しくいうと、商人は営利の目的を完全に達成するため、ローマ法や、その影響を受けた民法よりも、もっと簡単で非形式な、信用取引に便利な慣習を案出した。それが商人間の慣習法になり、ついで特殊の事項に関する成文法になり、ついに一七世紀後半、とりわけ一八世紀以後になって、各国の商法典となったのである。もっとも、今日の文明国のなかには、統一的な商法典のない若干の国がある。しかし、そういう国々にも、各種の商事単行法は、やはり存在するのである。

商法のこのような沿革は、当然にまた、商法を商人階級の特別法から、だんだん、今日の多数の立法例が認めるような、階級の差別のない一般法に変質させ、さらにまた企業法として、特別の組織をもった企業にだけ適用される法へと、おし進めていくことになる。

わが商法は、一方で、商人の観念を認めるとともに、他方では、商行為の観念をも認め、かつ、後者のなかにさらに、行為者が商人であるなしにかかわらず、もっぱらその行為の客観的性質だけに基づいて商行為（絶対的商行為）として法定されるものを、含める立場をとった。しかし商法の目的は、営利の目的を徹底的に達成させることにこそあれ、個々の行為に、特に商法を適用するような必要はない。ゆえに、商法第五〇一条第一号第二号にかかげた行為などは、営業として行なわれた場合にはじめて、これを商行為とすべきものであるし、第三号の取引所においてする取引は、問屋営業に附属するものであるから、特に絶対的行為にする必要はなく、手形その他の商業証券に関する行為にしても、手形法や小切手法がすでに単行法となったことからいって、また、その他の商業証券に関する行為ならば、それを、商人が営業のために行なうものであることからみて、あえて絶対的商行為にしてしまうほどの必要はないものである。商法は、これを純然たる商人の法、つまり企業法にするのが正当であるし、商法の一般論をするような場合には、商法を企業に関する法として論じて、さしつかえない。

第三節　わが商法のあゆみ

九　わが国には、明治時代以前でも、各時代に商取引が行なわれていたが、それは、主として自治法ないし慣習法の支配するところであった。もちろん、商取引を規制するための法律も、わずかながらある（例えば廻船式目、海路諸法度）。しかし、それらの法律は、明治時代以後の商法に、ほとんどなにも影響を与えていない。そこで、日本商法の歴史は、明治時代から始まるといってもよいのである。

その明治の初期には、商事単行法があった。多くは行政法規に属するものであったが、純粋に私法的な商事法規としては、明治一五年一二月一一日太政官布告第五七号の為替手形約束手形条例が、最初のものである。これについで、旧商法（明治二三年法律三二号）が公布され、明治二四年一月一日施行されるはずであったところ、法典延期論のため延期され、同二六年七月一日から、商業帳簿、商業登記、商事会社、手形および破産に関する部分だけが、施行されることになった。しかるに、同三一年に議会が解散された結果、偶然にも法典施行延期期間の満了（明治三一年六月末）にあい、同年七月一日から、同三二年六月一六日に新しい商法が施行されるまで、右の旧商法（以下明治二三年の旧商法という）が、施行を予想していなかった部分までも含めて、全部施行をみることになった。

この明治二三年の旧商法は、ドイツ人ヘルマン・ロエスラー（Hermann Roesler 一八三四―一八九四、在日約一五年）が起草したもので、商の通則、海商および破産の三編一六一四条から成り、独仏商法を折衷したものであった。

明治三二年の商法（以下、新商法という）は、明治二六年に設置された法典調査会で起草され、総則、会社、商行為、手形、海商の五編六八九条から成り、もっぱらドイツ普通商法にならい、わずかに、仏法と英法との痕跡をとどめたものである。しかるに、この法典は、その実施後わずか十年あまりで、種々の欠陥を示したので、法律取調委員会で、二百余条の修正案を作成し、それが明治四四年一〇月一日から実施された。そしてこの修正により、新商法はますますドイツ商法に近くなった。

第一次世界大戦開始以後の社会状態の変動、わけても世界経済の長足な発達は、新商法に再び幾多の欠陥を生じさせた。ことに株式会社については、発起人や重役らの背任行為、および会社荒しの弊害が痛感されるとともに、世界市場に金融の道をもとめる必要から、商法の英米法化をはかることが急務となった。そこで、法制審議会（昭和四年設置）は、新商法の第一編総則、第二編会社に関する改正要綱二〇六項目を作成し、これに基づいて、司法省内の商法改正調査委員会が草案をつくり、昭和一〇年の議会に提出した。しかるに数次の政変のためその通過が遅れ、漸く昭和一三年になって、その通過をみたので、同年四月五日にこれを公布し、同一五年一月一日から施行することになった。これが、現行商法である。

この現行商法は、新商法に一部修正を加えたものであるが、その修正が多方面にわたり、著しく規定の増加をみたので、従来の条文番号を改めた。しかし商行為編および海商編は、昭和一〇年に法制審議会（昭和一〇年末をもって廃止された）が、二一項目の改正要綱をきめただけで、いまだに修正されていないから、内容は全く新商法と同じである。

なお、新商法第四編手形に関する規定は、ジュネーブで一九三〇年に成立した手形法統一条約と、一九三一年に成立した小切手法統一条約とを批准した結果、昭和九年一月一日から、手形法および小切手法を施行することになったため、廃止された。

また商法改正調査委員会は、商法改正要綱第二三に基づき、主としてヨーロッパ大陸諸国の有限責任会社法を参酌した有限会社法案を作成し、昭和一三年の議会に提出したところ、商法中改正法律案とともに通過した。有限会社法は商法と同時に公布され、かつ同時に施行された。

第二次大戦後の改正としては、昭和二二年に、船員法の大幅な改正と民法の改正とが行なわれたのに伴って、商法そのものの一部にも、必要な改正が加えられたほか（昭和二二年法律一〇〇号、二二三号）、昭和二三年には株式会社法の部分について、これまでの株式分割払込みを認める主義をやめ、全額一時払込主義に切り換えるための、改正事業が行なわれた（昭和二三年法律一四八号）。

戦後は、一般に他の法律部門でも、英米法への接近がさかんに行なわれたが、商法とりわけ会社法について、アメリカ法上の諸制度をとりいれた大改正が施され（昭和二五年法律一六七号）、昭和二六年七月一日から施行されている。この改正の要点は、授権資本や無額面株式の制度を採用したことによる、株式会社の資金調達の簡易化、会社機関の再編成と、その権限の再分配による株式会社の経営機構の合理化（取締役会の制度化、株主総会と監査役との権限の縮小など）、これらのことと関連して、必要な株主の地位の強化、利用度のすくない株式合資会社（昭和二四年に全国で一七三社、うち九一社は資本金五〇万円以下）の廃止、そして、外国会社に関する規定の整備、などである。

しかし、かような株式会社法の大改正については、その後、さまざまの批判ないし疑義を生じ、また検討の余地があるものとして、改正を留保した部分がかなりあったので、昭和三〇年（新株引受権）、三三年（株式会社の整理）、三七年（株式会社の計算内容、定款の記載事項など）、三八年（移転の登記）、そして四一年（株式の譲渡・新株引受権・議決権など）というように、緊急を要する部分について、漸進的に数次にわたって再改正の事業が、積みあげられてきている。

第四章　商法の傾向

一〇　一般法から商人法へ

現代各国の商法には、これを一般の者に適用する立場をとるものと、商人と商人的な施設をもつ者だけに適用する立場をとるものとがある。しかし民法と商法とのちがいが出てくる要点は、企業の存否であり、商法は、企業がある場合に適用すれば足りるから、商法は、一般法から企業法へと推移する傾きをもっている。商法第四条第二項が追加されたのも、その過渡的現象といえよう。

一一　進歩的傾向　商法は、商人が、営利の目的を達成するために案出した、さまざまな手段に関連して生ずる法律関係に、適用されるものである。しかも商人は、営利の目的を達成できるかぎり、因襲などにとらわれないで、刻々に、新しい手段を利用してゆくから、絶えず新しい商慣習を創造して、商法に影響をおよぼす。これに反して民法では、身分法関係、不動産関係のところで、因襲の支配を受けやすいばかりか、債権法関係であっても、その対象が抽象的なため、急激に慣習の影響を受けることが少ない。そうしたことが、商法は民法にくらべて進歩的である、といわれる理由である。そして商法の諸制度は、便利であるため、自然にわれわれの一般生活にも影響を与え、民法のなかに吸収されていく傾向を有するとともに、商法の内部で、さらに不断に、新たな制度が形成されていくのである。

一二　統一的傾向　現代各国の商法は、これを独仏英の三法系に大別できる。しかしこれは、極めて概括的な分け方であって、各法系に属するものも、程度の差こそあれ、みなそれぞれちがっている。しかるに商取引は、日を追って国際的なものになりつつあるから、各国商法間のくいちがいは、国際取引にとって大きな障害である。一九世紀以来、商法の国際的統一運動がおこったのは、そうした事情からであった。しかも商法は、営利の目的を、できるだけ完全に達成させようとするものであるから、各国の人情風俗とほとんど関係がない。ゆえに商法では、その統一の可能性も、きわめて大きいのである。

一三　民法典のほかに、さらに商法典を置くことのよしあしについては、議論がある。消極論者は、両法典が併存していると、適用に疑義を生じやすいこと、法が機械的に商行為と認めたものと、そうでないものとで、法律効果に著しい差異をきたすのは、不公平であること、を主な理由として、両者の併合を主張する。しかし、民法と商法とを併合するか、併置するかということは、むしろ単なる立法政策の問題である。かりに両者を併合しても、併合されたもののなかに、企業に関する法律と、そうでないものとの差異を必ず生ずるから、前者を研究の対象とする商法学は、依然としてその存在の意義を失わないし、立法政策の上からいっても、商法が企業法として発達すべきものであるかぎり、企業に関する総合的な法典ないしは単行法を制定する方が、かえって、現代の要求に合致することになるわけである。

一四　近時、世界的な傾向として、企業に対する国家の干渉（経済法）がめだっている。すなわち、従来のように、自由主義および個人主義を基調とする民商法によりながらも、なおそのほかに、私有私営の企業を、その組織も経営も、程度の差こそあれ、国家の管理下に置く傾向が、強まってきた。そして、かような経済法の発展のために、商法の存在が失われるのではないかという疑いすら、おこってくる。しかしこれは、資本主義経済が、戦争さえ伴って、高度に発達していく過程において、経済生活の合理化と円滑化のために行なわれる、その自動的な調節作用にほかならない。すなわち、経済法は、一切の企業について、国内での自由競争を、全面的に禁止するものではなく、無用の競争を避けさせることが、その目的なのである。のみならず、国際取引に対しては、大いに競争を奨励するものである。いな、むしろ大規模な商取引は、世界市場でこそ、はじめてその極大の利益を、獲得できるものであろう。ゆえに商法は、依然としてその存在の意義を失わないのである（一）。

一　商法と経済法との関係について、西原・七六頁以下、大隅・五三頁以下、大森・七頁以下、田中誠・一八頁以下、石井・三六頁以下、鈴木・前掲法学選集七一頁以下参照。

第五章　現行商法の構造

第一節　商法典の内容

一五　商法典は、総則、会社、商行為、海商の四編から成る。その編別は、民法にくらべて理論的でなく、もっぱら便宜からきたものである。つまり、総則編の規定は、はじめの第一条ないし第三条を除けば、商法全体の通則ではないし、第二条と第三条は、商行為編中に規定すればよいものである。また、会社編の全部と海商編の船舶、船舶所有者、船員、船舶債権者に関する規定は、企業主体の組織に関する法として、総則編と一体をなすはずのものであり、海商編のその他の部分は、企業の活動に関する法として、商行為編と一体をなすべきものであって、どちらも、理論的には、商行為編の一部である。

もっとも、編別の問題と、その内容をかたちづくっている各規定の解釈の問題とは、また別であるから、各規定は、まず、それが属している章の特異性に着眼し、そのうえで、その属する編との関係を考慮しつつ、解釈されなくてはならない。

第二節　商法の法源

一六　商法の法源は、商法典、商慣習法、民法典、商事特別法令、商事条約、民事特別法令、民事条約、民事慣習法である（商一）。

商慣習法とは、商法典中に成文として存在しないのに、なお、法としての効力をもった商事慣習である。それが法であるという点で、事実たる商慣習と異なる。後者は、当事者の意思解釈の材料にすぎないから（民九二）、商法の法源ではない。商慣習法は、つねに進歩的であるから（一二番）、絶えず、商法典を補充し、場合によってはこれを変更する（例えば白紙委任状附記名株式の譲渡、白地手形、元受保険者が再保険者の代位権を行使することに関する商慣習法）。ゆえに商慣習法は、商法のきわめて重要な法源となっている。

商事特別法令には、商法施行前のものと、商法施行後のものとがあって、どちらも効力をもっている（旧商施二）。商事特別法令には、商法典に附属するもの（例えば、商法およびその改正法律の一連の施行法）と、商法典に附属しないものとがある。後者のうち、手形、小切手、有限会社および社債、会社の配当する利益または利息の支払、株式会社の再評価積立金の資本組入、銀行、保険、商券取引、商品取引、信託、寄託、運送などに関する各種の特別法令、商業登記法などが、その主要なものである。条約は公布によって、法律と同じ効力をもつようになるから、商事条約（例えば国際海上物品運送、船舶衝突、海難救助、国際空中運送に関する条約）は、商法の法源になる。民法典は、私法関係に関する一般原則であるから、もちろん商事に適用がある。したがって民事特別法、民事条約、民事慣習法もまた、商事に適用される。

以上の各種の法源が、商事に適用される順位は、商事条約または商事特別法令、商法典、商慣習法および民事条約または民事特別法令、民法典、民事慣習法という順序である（商一）。前四者は、後四者の規定していない事項に関する場合（例えば会社、手形、共同海損、海難救助）があるとともに、後四者の規定する事項を、変更する場合（例えば商事売買、代理）もある。両者は、前の場合に、特別法と普通法との関係にあり、後の場合に、例外法と一般法との関係に立つ。

商事慣習法が、民事条約または民事特別法令および民法典に優先することは、法例第二条の例外になるかどうかについて、争いがある。しかし、商法第一条が商慣習法に優先的地位を認めたことは、法例第二条にいわゆる「法令」に認めたものというから、例外でないと解すべきである。

第三節　商法の適用範囲

一七　商法適用の「時」に関しては、遡及を原則とする（商施二、ただし旧商施一参照）。つまり、商法施行法に別段の定めがある場合（例えば商施八、二一、三四）を除いて、新法施行前に生じた事項にも新法を適用する。ただし、旧法によって生じた効力は、妨げられない（商施二但書）。

一八　「人と場所」に対する商法の適用については、商法第二条および第三条、手形法附則（手八八ないし九四）、小切手法附則（小七六ないし八一）および国際私法（法例）の、定めるところによる。

一九　商法の適用がある「事物」は、商事である。実質的にいえば、営利行為に関する事項であり、形式的にいえば、商法および商事特別法令に規定された事項である。

第六章　総則編の地位

二〇　総則編は、法例（商一ないし三）、商人（商四ないし八）、商業登記（商九ないし一五）、商号（商一六ないし三一）、商業帳簿（商三二ないし三六）、商業使用人（商三七ないし四五）、代理商（商四六ないし五一）に関する規定からなる。そのうち、商法全体の通則は、前述したように（一五番）、第一条だけであって、第二条、第三条は、むしろ商行為編に規定すべきものである。また、商人ないし商業使用人に関する規定は、企業主体の組織を定めたものである。代理商に関する規定は、理論的には商行為編に入れるべきものを、代理商が商業使用人に最も近い補助商であるため、総則に規定したのであって、主として沿革の力によることである。

もともと企業は、営利行為が安全迅速に、継続して大規模に、行なわれることにより、最もよくその目的を達成できるのであって、そのためには、一定の設備と労力と資本とを要する。そのことが、企業の主体については、民法上の生活関係とちがった関係を生じさせて、商人および営業といった観念を招くとともに、これを中心とするさまざまな規定を、必要とするのである（四番(1)参照）。商人および会社に関する規定、ならびに営業の組織に関する規定（商号、営業財産、商業帳簿、商業登記、商業補助者に関する規定）、すなわちこれである。しかし会社は、典型的な企業主体であって、これについて、独立の一編が用意されているのみならず、実質的にも、会社に特有な法律関係があるから、商法総則編の地位を論ずる場合には、これをその範囲外に置くべきである（一）。

一　立法論として、会社に関する規定を原則とし、個人商人に関する規定を、例外的な特別法として置くにとどめることも、考えられないではない、という説がある（鈴木「会社の営業所」上智法学論集一〇巻二号三頁）。個人商人が主となっている総則編の規定のほかに、会社法中に、種々の特別規定を設ける必要があることを、適切に示唆したものと、みるべきであろう。

第二編　商人とその営業

第一章　商　人

第一節　緒　言

二一　商人の観念をきめるについて、二つの立法例がある。そのひとつは、商行為という観念をきめ、これを業とする者を、商人とするものであり（例えば仏、旧伊）、他のひとつは、商という観念をきめて、これを業とする者と、商人的な方法で企業をいとなむ者とを、商人とするものである（例えば独、スイス）。前者は、商法が中世の商人階級の特別法から、一般法に脱皮した時代の立法であり、後者は、商人法という階級法を、ふたたび形成したものである。われわれの商法は、前者から後者に進化する過渡的地点に、位している（商四II）。

二二　商法は、商人という観念と、商行為という観念とから成っている。つまり、商法の規定の大半は、商人の営業に関する規定であるけれども、商法はまた、「商人とは自己の名を以て商行為を為すを業とする者を謂ふ」と規定し（商四I）、商行為の観念で、商人の観念もきめている。しかし、商法は他方で、商人の観念によって、ふたたび商行為の観念を定める場合をも、認めている（商五〇三）。ゆえに、わが商法では、商人と商行為という二つの観念を、中心点としているわけである。

二三　商法は、商人の観念をきめるにあたって、商行為をなすを業とすることを、要件としているから（商四I）、商人については、(1)商行為、(2)営業行為、(3)商人資格、(4)営業能力に関して、考察をすすめる必要がある。

第二節　商行為

二四　商行為は、実質的にいえば、企業の活動に関する行為すなわち営利行為であるが、形式的にいえば、商法典(商五〇一ないし五〇三)および特別法(担社三、二九、信託六、無尽二)において、商行為として規定された行為である。これらの行為は、商人概念をきめる基礎になる行為であるという意味から、学問上、基本的商行為と呼ばれている。

形式的意義における商行為は、(1)行為の性質により、絶対的商行為(商五〇一、担社三、二九II)と相対的商行為(商五〇二、五〇三、信託六、無尽二)に、また、(2)商人の観念により、基本的商行為(商五〇一、五〇二、担社三、二九、信託六、無尽二)と補助的商行為(附属的商行為ともいう)(商五〇三)とに、最後に、(3)当事者により、一方的商行為(商三)と双方的商行為(例えば商五二一)とに、分類することができる。そのほか、民事会社(商五二II)のする行為について、準商行為という観念が存在する(商五二三)。これらの行為の説明は、商行為法にゆずる。

第三節　営業行為

二五　商人は、自己の名をもって、商行為をすることを「業とする」者である(商四I)。

(1)　「業とする」というのは、営利のために一定の計画にしたがい、同種の行為(一種または数種の)を、継続的に、かつ反覆して行なうことである。業とすることは、客観的にそれとわかればよく(大判・大正一四・二・一〇・民集四巻五九頁、新商判集1四条六七参照)、必ずしも、現実に数個の行為が行なわれたことを要しない。また営業開始のための準備行為からも、業とする意思を認めることを妨げない(一)(二)。また、長期にわたって、同種の行為が反覆されたことも、必要でない。

一　通説である。大審院の判例は、反対の立場(大正一四・三・二七・新聞二四〇七号一九頁)から、通説の立場に変った

（昭和六・四・二四・民集一〇巻二九三頁、同一六・二・二一・新聞四六八五号一一頁、商判集台本二六五条二、同追録2五〇三条四）。

二　商号の登記をしてない商人甲（例えば民事仲立人）が、商人であることを示さないで取引をした場合に、相手方乙が、甲の商人であることを、正当に知らなかったならば、甲はその取引について、商法の適用を主張できない、と解すべきである（広島高決・昭和二八・一二・二一・下級民集四巻一二号一九〇八頁参照）。

営利の目的は、その達成の有無を問わないし、全体としてそこに、営利の目的があるかぎり、個々の行為については、営利の目的がなくてもよい（例えば投げ売り）。営利の目的の遂行方法も、これまた、問題にならない（例えば、化学工業と手工業、諸種の例につき、新商判集1四条三七以下参照）。芸術家、技術家、医師、弁護士などは、精神的労働によって生計を立てている者であるけれども、これらの者は、自己の技能に対して報酬を受ける目的を、もっているだけであって、これに附随する物の売買から、利得をしようとはしないし、報酬を受けるかどうかも、一に自己の技術のいかんにかかっていて、商機に支配されるものではない。ゆえに、商人すなわち商行為を業とする者とはいえない（医師につき、行判・判決日不詳、新聞五一〇号二一、長野地判・大正元・一一・一一・新聞八三六号二八頁、那覇地判・昭和三・九・一、新聞二九四〇号一六頁、新商判集四条六三以下参照）。

(2)　商人は、「自己の名を以て」商行為をすることを業とする者であるが、自己の名をもってとは、自己が、権利義務の主体になること、すなわち営業の結果が、一応その人に帰属することをいう。自己が権利義務の主体になるかぎり、現実に営業に従事する必要はない。

(3)　商人が、他人の名義で営業をした場合でも、自分が権利義務の主体になるかぎり、「自己の名を以て」営業をする者といいうる。ただしこの場合には、第三者に営業の主体を誤認させるおそれがあるから、名義の使用を許した者にたいしては、禁反言(estoppel)の原則（前出四5）(一)の適用を生ずるとともに（商二三）、他人の名義を冒用した者は、過料の制裁をうける(商二三)。

一　小町谷「商法改正法案に現れたる禁反言の原則」時報八巻一二号三頁以下、小町谷・判例商法巻一・八頁以下、二〇頁、伊沢孝平・表示行為の公信力(有斐閣)、同「判例に表れたる禁反言の原則」前掲時報八頁以下、末延三次「英米法における禁反言」前掲時報一六頁以下、大竹録「我商法における表見商人」志林三九巻一、二号、米沢明「名板貸人の責任」法と政治一一巻四号六七頁以下、実方正雄「名板貸契約――主として判例を中心として」時報二四巻五号一五頁以下参照。

(4)　固有の商人は、実質的に一定の「商行為」をすることを、業とする者であるが、その商行為は、基本的商行為である(二四番)。ただし商法は、商行為をすることを業としないが、経営形式のうえで「店舗、其の他之に類似する設備に依りて物品の販売を為すを業とする者又は鉱業を営む者」を、商人とみなした(商四Ⅱ前段)。これは、商法が、基本的商行為について列挙主義をとったため、通説によれば、その欠陥を補なう目的から、また私見によれば、右の列挙が制限的列挙でないため、疑いを避ける目的から、そうした規定を設けたのである。

(5)　商法はなお、民事会社(民三五)を企業形態からみて、商人とみなす旨を規定しているけれども(商四Ⅱ後段)、これは、旧法での学説上の争いを、立法によって解決したものにほかならない。

第四節　商人資格

二六　発生要件　商人としての資格は、商行為をすることを業とするか(商四Ⅰ)、または第四条第二項の要件の具備によって発生する。ゆえに、なにも特別の権利能力はいらず、私法上の権利能力をもてばよい。

二七　発生の時期　一般商人については、商行為をすることを業とする意思を、客観的に認めうるときに、その商人資格が発生する(二五1参照)。ゆえに必ずしも、具体的に基本的商行為をする必要はなく、特定の行為からこの意思がわかればよい。そして、営業意思を外部的に認めうるような行為は、その商人の開業のためにする補助的商行為(附属商行為)になる。ゆえにまた、商人の資格発生の時期と開業の時期とは、必ずしも同時ではない(大判・大一四・二・一〇・民集四巻五九、なお新商判集1四条六七以下参照)。

商行為をすることを業とする意思、つまり営業意思は、客観的に認めうることを要する。これは、特定の人が商人資格をもっているかどうかが、社会一般の利害に関係するところが、大きいからである(前掲の大判と新商判集とを参照せよ)。

商事会社は、商行為をするのを業とする目的で、設立した社団であり(商五二I)、法人は、その目的の範囲内でだけ、権利能力を有するから、商事会社は、成立と同時に商人である。民事会社も同様である(商五二II・四II)。この点で、自然人とか一般の法人が、本来の権利能力を取得した後、さらに商人資格を取得するのとは、著しくちがう。

二八　資格喪失　商人資格は、営業の廃止によって消滅する。その廃止は、商人の意思による場合と、そうでない場合(例えば営業禁止令)とがあるが、前の場合には、廃業の意思を、客観的に認めることが、できなければならない(廃業届は、必ずしも商人資格を失わせない。大決・明治三四・一二・九・民録七輯一一巻三三頁、新商判集1四条七三)。そして商人は、廃業のための跡始末を要するところ、その行為が、やはり営業のためにする行為であるから、そのような行為が終了したときに、はじめて商人資格が消滅するものと、解すべきである(大決・明三四・一二・九、民録七輯一一巻三三頁、新商判集1四条七三以下参照)。

商人の破産は、必ずしも、商人資格喪失の理由にならない。けだし、商人は破産財団に属しない財産をもつ場合もあるし、営業の種類によっては、必ずしも財産を要しないものすら、あるからである(例えば仲立人)。

商事会社は、その目的の範囲内だけで存在するから、清算の終了により、法人格とともに商人資格をも失う。民事会社も同様である。これに反して一般法人は、ほかにも目的があるから、その法人格を維持しながら、廃業によって商人資格を喪失する場合がありうる(最高判・昭和三五・七・一五・最高民集一四巻九号一七七二頁、なお新商判集1四条四六以下参照)。

第五節　営業能力

二九　意　義　営業能力とは、商人になりうる能力（商人能力、商人たる適格）と、営業をいとなみうる能力（営業行為能力、営業能力）とをいう。およそ権利能力がある者は、原則として商人になりうるが、例外的に、公法上および私法上の制限を受けることがある。また、商人能力をもつ者も、行為能力の制限を受ける場合がある。

三〇　商人能力　商人になることについては、公法の規定により、特定人に対する営業の禁止（裁五二3）、または制限（国公一〇三、弁護三〇Ⅲ、地公三八など）、もしくは特定商業に対する禁止（郵便五、たばこ専二、刑一三六、一七五）、または制限（銀行二、無尽三、信託業一、保険業一）がある。前二者に対する違反は、処罰の問題を生ずるだけであって、行為そのものは効力を生じ、違反者は商人資格を取得する。これに反して後二者は、行為を無効にする。

商人になることについては、私法上の規定によって、制限が加えられる場合（商二五、四一、七四、二六四、不正競争など）と、契約によって、制限を受ける場合とがある。しかし、これらの制限に対する違反は、どれも、損害賠償の問題を生ずるだけで、違反者は、商人資格を取得する。

以上の一般論のほかに、法人については、会社（商五二）を除いて、その目的の点から、さらに商人能力の有無を、きめなければならない。法人は、その目的の範囲内だけで、権利能力を有するからである（株式会社の能力に関連して、最も多く論ぜられるから、会社法で述べる）。

㈠　公法人　公法人のうちには、その目的の制限がないもの（例えば国家、市町村）と、制限があるもの（例えば水害予防組合）とがある。前者は商人能力をもつが、後者はもたない。そして前者が商行為を業とする場合には、法令に別段の定め（例えば鉄営一一ないし一八ノ四）がないかぎり、商法が適用される。商法第四条第二項に掲げる行為を業とする場合も、同様である。

㈡　私法人　私法人のうち、営利法人が商人能力をもちうるのは、いうまでもない（商四、五二参照）。公益法人が、社員の利益のためでなく、法人本来の目的である公益を計るため、商行為または商法第四条第二項に掲げる行為を業とすることは、その目的の範囲に属するから、公益法人には商人能力がある（新商判集1四六以下の判例参照）。

特別法による法人には、公益法人に近似するもの（例えば証券取引所証取八三Ⅰ3参照）と、公益法人または営利法人のどちらにも属しないもの（例えば協同組合、相互保険会社）とがある。これらは、いずれもその目的が限定されているから、商人能力をもたない、と解すべきである。しかし相互保険会社には、商人および会社に関する商法の規定が、多数準用され（保険四二）、かつ保険契約には、商法の規定がその性質の許すかぎり準用されている（商六六四、六八三Ⅰ）。

三一　営業行為能力　無能力者も商人能力をもつのであるが、営業をいとなむためには、これに関係のある各種の行為について、行為能力（営業行為能力）を要する。そこに、営業許可の制度が出てくるのである。ただし、営業許可の有無は、無能力者のために、取消の事由となるにすぎないから、許可なしに行なった営業も営業であって、無能力者はこれによって商人になる。

(1)　未成年者　未成年者が、みずから営業をいとなむ場合には、法定代理人の許可を要するとともに（民四）、許可によって、その営業につき、成年者と同一の能力を取得する（民六）。しかし未成年者が、かような能力を有することは、これを公示する必要がある。ゆえに商法は、その点に関して規定している（商五、商登六、四三以下）。もっとも登記の懈怠については、民法第二〇条の適用がある場合のほか、第三者を保護する方法がない。それは、未成年者の行為については、単に、その取消が問題となるにかかわらず、商法第一二条は、登記事項の対抗要件（ここでは商行為能力）を定めた規定だからである。

未成年者が、営業許可につき不実の登記をした場合には、これをもって、善意の第三者に対抗することができない（商一四）。営業許可の制限および取消については、民法第六条第二項の規定によってきめるほか、商法で、その登記を要するものとされている（商一五、商登二九、四四以下）。

未成年者が、会社の無限責任社員になることは、みずから営業をいとなむものでないけれども、その利害関係からみれば、ほとんど同じである。ゆえに、無限責任社員となることについて、法定代理人の同意を要するとともに、その同意によって、社員資格に基づく行為（出資、持分の譲渡譲受など）に関し、能力者と同一の地位を取得する（商六）。

(2)　禁治産者　　禁治産者は、事実上、みずから営業をするに適しないから（民七）、営業許可の制度がない。そして後見人が、被後見人のために営業をいとなむときには、その旨を登記することを要するとともに（商七Ⅰ、商登二九、四八Ⅱ）、その代理権に加えた制限は、これをもって善意の第三者に対抗することができない（商七Ⅱ）。かつ、その制限は、登記することもできない。

(3)　準禁治産者　　準禁治産者もまた、事実上、自らの営業をいとなむに適しないから（民一一）、営業許可の制度がない。しかも、保佐人は法定代理人でないから、準禁治産者の代理人として営業をいとなむことができない。ゆえに、準禁治産者については、保佐人の同意をえて、支配人を選任する道があるだけである。

準禁治産者は、会社の無限責任社員となることをえない。これは、準禁治産者の性質からいっても、十分うなづけることであるし、商法第六条が、特に準禁治産者をあげないことからも、明らかである。

第六節　小商人

三二　商法は、営業規模の大小によって、商人と小商人との区別を設けている。どちらも、商人という点では同一であるが、後者には、商業登記、商号および商業帳簿に関する規定の適用がない（商八）。おそらく、かかる者に、上掲の事項に関する諸規定を適用するのは、酷に失するとともに、普通の商人の妨げともなるからである（例えば商一九参照）。

小商人とは、資本金額二千円に満たない零細な商人で、かつ、会社でない者をいう（商改正法施三）。行商人とか、道路で物を販売する者は、たいがいその例に属する（旧商八、旧商施七、明三二勅二七一号参照）。

第二章　商人の補助者

第一節　緒　言

三三　種　類　商人が、その営業によって十分に利益をあげるためには、ぜひとも、その補助者を要するとともに、補助者の数や種類も、営業の拡大に伴って増加する。

商人の補助者は、雇傭契約によって商人に従属する者（非独立的ないし従属的補助者）と、独立の商人として、他の商人の営業を補助する者（独立的補助者）とに分かれる。社会分業の見地からすれば、あらゆる商人が、相互に独立的補助者の地位に立つわけであるが、狭義では、代理商、取次商のように、直接に補助的関係があるものだけが、独立的補助者である。

三四　商法の規定　商法は総則編において、非独立的補助者である商業使用人に関して、規定するとともに、独立的補助者のなかでは、とくに代理商に関して規定を設けている。しかし後者は、理論的には商行為編中に規定すべきものである（商五〇二12、本書二〇番参照）。

三五　規定の内容　商法は、支配人、番頭、手代、その他の使用人という、四種類の商業使用人を認め、権限に広狭の差はあるにしても、主としてその代理権の範囲を、明確に規定するとともに（したがって商法の規定は、実質的には「商業使用人」でなく「商業代理人」つまり「企業代理人」に関するものである）、雇傭関係については、民法に譲った（商四五）。商業使用人は、商人の営利追求の補助手段であるし、営利の目的を達成するためには、商取引が円滑迅速に行なわれることを要するから、商人の営業に関する法律としては、至当な態度である。これに反して、雇傭関係は、民法だけにかぎらず、使用人の生活利益の保護その他、労働法の部門での問題になる。

第二節　商業使用人の意義

三六　商業使用人とは、一定の商人と雇傭関係に立って、営業上の労務に服する者をいう。これを分析すれば、

(1)　「一定」の商人に使用される者である。その商人が、自然人であろうと法人であろうと、また、通常の商人であろうと小商人であろうと、それは問わない。

(2)　「雇傭関係」に立つ者である。ゆえに、もちろん自然人であることが必要である。しかし、もっぱら労務に服するものであるか、商業を見習いながら、労務に服するものであるか、それは問題でない。商人と雇傭関係に立つ者（従属的補助者）のうちには、さらに、代理権をもつ者と、もたない者とがある。代理権の広狭によって、そこに支配人、番頭、手代などの区別を生ずる。

(3)　「営業上」の労務に服する者である。なにを営業上の労務というかは、各商人について、いちいち、具体的にきめなければならない。

商業使用人は、忠実にその労務に服することを要するから、営業上の秘密を守るのはもちろん、競業や副業をしない義務を負担する（四七番(3)）。しかし、雇傭契約終了後は、特約がないかぎり、この義務を負わない。かつ、特約がある場合でも、その特約は、雇傭契約継続中に、将来の不作為義務に対して、特定の報酬が支払われるか、或いは、雇傭契約終了後に、不作為義務の負担期間に対して、相当の報酬が支払われる場合にかぎって、有効である（大判・昭七・六・二九、新聞三四四七号一八、新商判集1二六二頁二参照）。

三七　商業使用人に似て非なる者に、準商業使用人と商業指揮者がある。前者は、雇傭関係がなくて、商業使用人と同一の代理権をもっている者であるから（例えば妻、親族）、善意の第三者保護のため、商業使用人に準ずべきである。後者は、無能力者である商人の法定代理人とか、営業をいとなむ法人の機関（例えば取締役）とかであって、商人と同格の者であるから、商業使用人の規定の準用がない。

第三節　各種の商業使用人

第一款　支配人

第一項　支配人の意義

三八　支配人とは、特定の商人の営業に関し、包括的代理権をもった商業使用人である。支配人は、商人が選任する者であるから、非商人の被用者が包括代理権をもっていても、それは支配人でない。また商人でも、小商人は支配人を選任できない。これは、その選任が、登記を要するためである（商八参照）。

支配人には、包括的代理権がある。すなわち、商人の営業に関する、一切の裁判上および裁判外の行為をする権限がある（商三八Ⅰ）。この包括的代理権は、支配人の選任によって当然に発生するとともに、これに加えた制限は、これをもって善意の第三者に対抗できない（商三八Ⅲ）。しかしその権限は、選任によって発生するものであるから、支配人は法定代理人でない。

第二項　支配人の選任と終任

三九　選任と解任の行為者　支配人の選任および解任は、商人または商業指揮者がする。支配人は、特に委任を受けないかぎり、この権限をもたない（商三八Ⅱ参照）。それは、支配人の地位が重要であることによるものである。会社ではその代表機関が、支配人の選任と解任をする。代表機関が、会社の内部関係で制限をうけている場合に（商七一、一五二、二六〇）、その制限に違反して支配人を選任した場合にも、その選任は有効であって、ただ、その代表機関の会社に対する損害賠償の問題を、生ずるだけである。

四〇　選任行為　支配人の選任は、支配権授与契約による。しかし、必ずしも明示の意思表示によることを要しない。また、雇傭契約と同時に行なわれることも必要でない。そして支配人になる者は、意思能力のある自然人でなければならないが、必ずしも能力者である必要はない（民一〇二）。

支配権授与契約が成立したかぎり、支配人という名称を用いるかどうかは、問題でない。また、この名称を用いても、右の契約が存在しないかぎり、支配人の選任があったとはいえない。しかしこの場合には、取引の安全を保護するため、禁反言の原則を適用しなければならないことが起こる。商法が、本店または支店の営業の主任者であることを示すべき名称（必ずしも支配人という名称にかぎらない）を附した使用人（いわゆる表見支配人）は、これを、その本店または支店の支配人と、同一の権限を有するものとみなすとともに（商四二Ⅰ）（一）（二）（三）、相手方が悪意であった場合には、そういう擬制をしない、ということにしたのは、そのためである（商四二Ⅱ）。なお商法は、上述の擬制が裁判上の行為には及ばないことを定めているが（商四二Ⅰ但書）、立法論として失当である。

一　表見支配人の権限をきめる「営業に関する行為」の認定方法につき、最高判・昭和三二・三・五・最高民集一一巻三号三九八頁、新商判集1四二条二参照。

二　商法第四二条第一項の適用を認めた場合と、認めなかった場合とについては、判例が非常に多い。かつ手形行為をめぐる訴訟が特に目立つ。これらの判例については、新商判集1四二条九以下参照。

三　表見支配人の権限が認められなくても、営業主が民法第七一五条による責任を負う場合がありうる（前掲最高判）。

四一　終　任　支配人の終任事由は、解任と辞任（民六五一）、商人の破産、支配人の死亡、破産または禁治産の宣告（民六五三）である。しかし商人の死亡は、終任事由にならない（商五〇六）。また雇傭契約の解除は、同時に授権契約の解除でもある。

会社の解散は、支配人の終任事由であると同時に、清算中の会社は、支配人を選任できない。

四二　登　記　支配人の選任および代理権の消滅は、これを置いた本店または支店の所在地で、営業主が登記することを要する（商四〇、五一Ⅱ、商登二九）。

第三項　支配人の権限

四三　原　則　支配人は、法律上当然に、営業主の営業に関する、一切の裁判上または裁判外の行為をする権限を有する（商三八Ⅰ）。

(1)　支配人は、営業主の代理人として、その営業に関する行為をする権限（支配人の代理権を支配権という）をもっているが、営業に関する行為かどうかは、客観的にきめるべきである（大判・明治四三・一〇・二〇・民録一六輯七二七頁、新商判集1三八条三参照）。ゆえに、客観的に営業のためにしていると認めうるかぎり、事実上背任的行為をした場合でも、善意の第三者のためにその効力を生ずる（大判・大正三・一〇・二九・民録二〇輯八五一頁、昭和一二・五・五・法学六巻一二一九頁、新商判集2補遺三八条二）。

(2)　支配人は、営業に関する行為であるかぎり、基本的商行為であろうと、附属的商行為であろうと、また有償行為、無償行為の別なく、それをすることができる。また裁判外の行為はむろんのこと、裁判上の行為でもすることができる。

四四　例　外　支配人の権限に対しては、三つの例外がある。すなわち、

(1)　支配人の地位の本質から生ずる制限。

支配人は、営業に関する行為についてだけ、代理権をもっているのであるから、財産法上の行為ができるだけで、身分法上の行為はできない。また、営業のために選任された者であるから、営業の廃止を招くような行為もできない。

(2)　法律の規定による制限。

(a)　営業主が数個の商号を用いて、数種の営業をする場合には、特別の授権がないかぎり、支配人の権限は一営業を限度とする（商登五一Ｉ3）。

(b)　一営業について数個の営業所があるときも、特別の授権がないかぎり、支配人の権限は、その選任されたその営業所を限度とする（商三七、四〇、商登五一Ｉ4）。ゆえに、本店にだけ支配人を置き、これに支店の営業もさせるためには、支店の方で、その支配人の登記をする必要がある。

右の(a)(b)二つの場合は、商号または営業所によって個別化された、各個の営業によって、支配人の権限が制限される場合である。

(c)　支配人は、さらに支配人を選任することができない（商三八Ⅱ参照）。

(3)　営業主の意思による制限。

商人は、数人の支配人が共同して代理権を行使すべき旨を、定めることができる（商三九Ⅰ）。これは法が、営業主において、支配人の広汎な代理権が乱用されることを、防止する道をひらいたものである。そしてこの共同支配の態様は、営業主が任意にきめることができる。

共同支配人が共同を要するのは、積極的に代理権を行使する場合であって、受動代理については、各自にその権限がある（商三九Ⅱ）。

共同支配の趣旨は、各支配人が代理権を行使するにあたって、必ず他の支配人が関与しなければならない点にあるのであって、代理権を、つねに共同して行使せよという趣旨ではない。ゆえに共同支配人は、ある種類の行為または特定の行為について、支配人の一人に、代理行為を一任することができる（商三八Ⅱ、四三Ⅰ参照）（学説が分れている）。もっとも、一切の代理権を一任してしまうことは、支配人を選任するのと同じことになるから、許されない（商三八Ⅱ参照）。

四五　法定権限の制限　以上に述べた場合のほかは、支配人の代理権に加えた制限をもって、善意の第三者に対抗することができない（商三八Ⅲ。銀行の支店長が内規に反して手形保証をした場合が一例である。最高判・昭和三七・五・一・判時三〇五号二六頁、新商判集1三八条七〇）。ゆえに、そのような制限の登記は、無効である。

支配人の権限を制限しても、その効力がないのは、対外関係においてであるから、営業主は、その制限の違反について、もちろん、支配人に損害賠償の請求ができる。

第四項　支配人の義務

四六　一般的義務　支配人は営業主に対し、雇傭および委任の規定にもとづいて、一般的な義務を負担する。

四七　競業と副業の回避義務　支配人は、営業主の許諾がなければ、営業をしたり、自分や第三者のために、営業主の営業の部類に属する取引を行なったり、会社の無限責任社員や、取締役または他の商人の使用人になることができない（商四一Ⅰ）。

(1)　立法理由　　支配人は、広汎な代理権を与えられて、営業主の営業に関与する者であるから、商法は、営業主の利益保護のため、その営業主と利害が衝突するような取引をすることを、禁止するとともに、営業主のために、専心、勤務することの妨げになる行為をも、禁止したのである。自己または第三者のために、営業主の営業の部類に属する取引をすることの禁止は、前者に属し、その他の禁止は後者に属する。また前者は、競業を禁止するものであるから、営業の部類に属しない取引をすることは、原則としてさしつかえない。ただ、その取引を営業として行うときに、後者の禁止に触れることになるだけである。いわゆる取引とは、商行為、および第四条第二項に掲げる行為をいう。

(2)　義務違反の効果　　支配人が、上述の義務に違反した場合には、営業主はもちろん、損害賠償の請求ができる。しかし、支配人が「自己の為めに」取引をした場合には、営業主はこのほかに、その取引を、自己のためにしたものとみなすことができる（介入権、奪取権）（商四一Ⅱ、四八Ⅱ参照）。これは、支配人のそういう取引によって、営業主が積極的に損害をうけるよりも、消極的に利益を失う場合が多く（例えば取引先の喪失）、しかもその損害の証明が困難であるため、この介入権の行使を通じて、支配人を牽制することを認めたものである。

商人は、支配人がした取引を、一方的な意思表示によって、自己のためにしたものとみなすことができるのであるから（商四一Ⅱ）、この介入権は形成権の一種である。ゆえにその行使があれば、支配人は、その取引の結果を、営業主に帰属させる義務を負うことになる。しかしその効果は、その営業主と支配人とのあいだで生ずるだけである。支配人が第三者のためにした取引について、商法が、営業主の介入権を認めなかったのも、このためである。

介入権は、営業主の利益を十分に保護するために、認められたものであるから、営業主は、介入権と損害賠償請求権とを、あわせて行使することができる。

介入権は、営業主がその取引を知ったときから、二週間以内に行使しないと消滅する。取引のときから一年を経過したときも、同様である(商四一Ⅲ)。これらの期間は、みな除斥期間である。

(3) 商法は、支配人についてだけ、第四一条のような規定を設けたけれども、これは、支配人がもっとも広汎な代理権をもち、それを乱用する機会が多いからである。その立法趣旨は、ある範囲の包括的代理権をもった番頭、手代などにも当てはまるから、これに右の規定を準用すべきである。かつ、その他の商業使用人は、原則として代理権をもたず、ひたすら忠実に、その労務に服する義務を負う者であるから、支配人または番頭、手代などが禁止されている行為は、もちろん、してはいけない。ゆえに第四一条は、これらの者にも準用するのが妥当であって、要するに、商業使用人に共通の規定である(通説である。例えば西原・四七二頁、大隅・一六五頁、田中誠・二七〇頁、石井・九四頁)。

第二款　その他の商業使用人

四八　番頭、手代など　番頭、手代とは、商人の営業に関する、ある種類または特定の事項(例えば販売、仕入れ、貸付、出納など)について、一切の裁判外の行為をする権限をもった商業使用人である(商四三)。番頭と手代とのあいだには、法律上なにも差異がない。商法はただ、上掲のような広い代理権をもつ商業使用人なるものを、例示するために、古めかしい称呼を使ったのである(現今では、部長、課長、係長、主任などの名称で呼ばれる)。

四九　番頭、手代などは、支配人より狭い権限ではあるが、ある種のまたは特定の事項について、一切の裁判外の行為をする権限をもっているから、法は、取引の安全を保護するために、その代理権に加えた制限をもって、善意の第三者に対抗することができないものとした（商四三Ⅱ、三八Ⅲ）（一）。

一　具体的には、株式会社の平取締役とか部課長がした取引、ことに手形行為の効力に関する判例が頗る多い。それらの判例について、新商判集1四三条二以下、同2補遺四三条一以下参照。なお、大竹「番頭手代等の代理権限の最大限度」民商一七巻五号四三一頁以下参照。

五〇　番頭、手代は、支配人も、これを選任または解任できる（商三八Ⅱ）。またその選任は、登記事項でないから、小商人もその選任解任ができる。

五一　物品販売店舗の商業使用人　支配人または番頭、手代に属しない商業使用人は、原則として代理権をもたず、もっぱら労務に服する者であるが、商法は、取引の安全を保護するため、かような商業使用人のうち、物品の販売を目的とする店舗の被用者について、その店舗にある物品の販売に関する権限を、持つものとみなすとともに（商四四Ⅰ）、この権限に加えた制限は、これをもって、善意の第三者に対抗できないものとした（商四四Ⅱ、四二Ⅱ）。

これらの者は、物品の販売について、権限をもつだけであるから、物品買入の権限はない（福岡高判・昭和二五・三・二〇・下級民集一巻三号三七三頁、新商判集1四四条一参照）。またその「店舗」にある物品の販売権限を、持つだけであるから、卸売をする権限もない。

第四節　代理商

第一款　緒言

五二　沿革と効用　代理商とは、かつて、商人のために補助的行為をする者を、漠然と総称する名称であったところ、一八九二年に、ドイツ帝国裁判所が、ドイツ普通商法（一八六九年）につき、商人から継続的に委託をうけて、商行為の締結または仲立をする独立の商人だけを、代理商という旨を判決し（RGZ. Bd. 31, S. 59）、一八九七年のドイツ新商法がそれを採用してから、それまで実生活上、明瞭性を欠いていたその観念が、ようやく法典上明らかになったものであって、わが商法の規定は、これによったものである。

商人が、遠隔の地で、有利に商機をとらえて取引をするためには、その土地の事情に通じた者に、ある程度独断で、業務の執行をさせる必要がある。もし、支店を開設したり、商業使用人を派遣したりすれば、それを十分に監督できないおそれがあるばかりでなく、費用もかかり、そのうえに、事業の危険は、挙げて営業主に帰属するであろう。そこで、企業の危険を分散し、費用を節約するために、代理とか媒介の成立を条件にして、報酬の支払をする約旨のもとに、他人に代理または媒介を引受けさせる制度が、必要になってくるのである。

代理商の制度は、かつて、行商に出た商業使用人が、一定の土地に定住して、独立の商人になったことから起ったものであるが、その確立をみたのは、一九世紀の後半に、保険や海上運送をいとなむ大企業者が、それを利用してからのことである（保険代理店はその典型である）。ゆえにそれは、ごく新しい制度である。ことに現代では、製造業者が外国と取引をするため、または海上運送業者が運送品を集貨するため、もしくは、保険業者が危険を分散するため、もっとも多く、これを利用している。

五三　規定の不備　代理商に関する商法の規定は、あまり重要でないことばかりを規定していて、不備である。ことに、その権限についてそうである（一九五三年の西ドイツ商法改正法が参考になる。小橋一郎「西ドイツにおける商法典の一改正――代理商法」阪大法学一三号一四号参照）。

第二款　代理商の意義

五四　代理商とは、商業使用人でなくて、しかも一定の商人のために、平常その営業の部類に属する取引の、代理または媒介をする者である（商四六）。

(1)　「商人」のために、その営業を補助（代理または媒介）する者である。ゆえに、商人でない者（例えば相互保険会社）のために、それをする者（民事代理商）は、いわゆる商法上の代理商ではない（ただし保険業四二参照）。これに反して、商人であるかぎり、小商人でも代理商を利用できる。

(2)　取引の「代理」または「媒介」をする者である。取引とは、商法第四条にかかげる行為をいう。その代理をする者が締約代理商、その媒介をする者が媒介代理商と呼ばれる。むろん、その兼行を妨げない。締約代理商は、取次営業者(商五〇二11)に類似しているが、前者は、本人の名において、取次の代理をするに反し、後者は、自己の名において、第三者と取引をする点でちがう(商五五一、五五九)。

(3)　「一定の」商人のために、取引の代理または媒介をする者である。その商人を、代理商に対して本人という。その本人が一定であるというのは、必ずしも一人の意味ではない。数人でもよいから(乗合い代理商の場合)、結局、不特定の(一般の)、ということに対立する意味である。この点、締約代理商は問屋(商五五一)とちがい、媒介代理商は仲立人(商五四三)とちがう。

(4)　一定の商人のために、「平常」その営業の部類に属する取引の、代理または媒介をする者である。平常とは「継続的に」ないし「常嘱的に」の意である。単に、多数の個別的行為を処理する義務を負う、というのではなくて、本人の営業のために配慮するうえで、絶えず義務を負っているのである。代理商はこの点において、一般商人のために、臨時に、商行為の取次または仲立もしくは代理をする、問屋または仲立人もしくは臨時代理商と異なる。しかし、いうまでもなく、臨時代理商にも商人資格はある(商四、五〇二1、2)(代理商に当る例と当らない例とにつき、新商判集1四六条一以下参照)。

(5)　「使用人に非ずして」取引の代理または媒介をする者である。すなわち、取引の代理または媒介の引受を営業とすることによって、それ自体、独立の商人である(商五〇二1、2)。そして本人のために、無数の代理または媒介をするけれども、実は、ただ一個の代理商契約によって、それを引受けているのである。その引受の性質は、それが、代理の引受の場合は委任であり、媒介の引受の場合は準委任である(民六四三、六五六)。

第三款　代理商の権利義務

五五　一般義務　代理商と本人とのあいだには、代理商契約により、委任または準委任の関係があるから、代理商の注意義務、物品引渡義務または権利移転義務、その他の一般義務については、委任の規定(商五〇四ないし五〇六、民六四三以下)によってこれを決定する。

五六　通知義務　代理商が、取引の代理または媒介をしたときは、遅滞なく本人に対して、その通知を発することを要する(商四七)(通知義務違反につき身元保証人の責任を認めなかった例、大判・昭和一〇・五・二七・民集一四巻九五九頁、新商判集四七条二〇参照)。

五七　競業回避義務　代理商は、本人の許諾がなければ、自己もしくは第三者のために、本人の営業の部類に属する取引を行ない、または、同種の営業を目的とする会社の、無限責任社員または取締役になることができない(商四八I、なお七四、二六四、および四一参照)。そしてこの義務は、締約代理商にも媒介代理商にも、ともにある。代理商が、もしこの義務に違反して、自己のために取引をしたならば、本人は、法定の期間内に、介入権を行使することができる(商四八II、四一II、III)。競業回避(競業避止)義務は、本人の営業の部類に属する取引についてだけ、あるのだから、代理商は、数人の商人のために、種類のちがう営業ごとに、それぞれ、代理または媒介の引受をすることができる。

五八　一般的権利　代理商は、委任の規定にしたがって、報酬および費用、その他の一般的権利を取得する。ことに報酬は、特約がない場合にも、各代理または媒介行為の終了ごとに、相当の額を請求することができる(商五一二参照)。

五九　留置権　代理商は、別段の意思表示がないかぎり、取引の代理または媒介をしたことによって生じた債権が、弁済期にあるときは、その弁済を受けるまで、本人のために占有する物または有価証券を、留置することができる(商五一)。これを、代理商の留置権という。

(1)　商事留置権総説　商法は、商人間の取引について、留置権(商人間の留置権)を認めたほか(商五二一)、さらに代理商(商五一)、問屋(商五五七、五一)、運送取扱人(商五六二)、陸上物品運送人(商五八九、五六二)、海上物品運送人(商七五三Ⅱ、国際海運二〇Ⅰ)の取引について、おのおの、留置権を認めている。これらのうち、代理商と問屋の留置権は、その他の商事留置権および民事留置権(民二九五)よりも、効力が強い。

商法が、民事留置権のほかに、かように諸種の商事留置権を認めた理由は、つぎの点にある。民事留置権においては、甲が、乙の占有する物に関連して生じた、自己の債務を履行しないで、その物の返還を請求できるということは、衡平の観念に反するという考を、その基礎とするところ、商事留置権においては、信用取引の安全保護という考を、その基礎とするものである。いいかえれば、商取引においては、その取引にあたって、相手方に質権または抵当権の設定を要求するのは、不信の念を表明するようなもので、多分に相手方の感情を害するおそれがあるし、また継続的取引関係のある商人のあいだで、相手方に、取引ごとに担保を提供させるのは、わずらわしいことであり、また実際の必要にそわないことである。そのうえ、取引の迅速を妨げるおそれがなくはない。それゆえ商法は、法律上当然に担保力がある商事留置権を、認めたのである(小町谷・海商法研究五巻二一四頁以下参照)。

しかし、立法論としては、商人間の留置権だけを規定し、その他の留置権に関する規定を廃止するとともに、一方において、必要なものには先取特権を認め、他方において、債務者の支払停止とか、債務者に対する強制執行が不奏効に終った事実がある場合に、弁済期前でも、留置権行使ができるような規定(非常留置権)を設けるのが、信用取引の安全保護を基礎観念とする商法の目的に、いっそうよく合致するであろう(小町谷・前掲二二六頁以下参照)。

上に述べた諸種の商事留置権は、留置物の競売をする効力を有するが、優先弁済を受ける効力をもたない。また、債務者が破産した場合に、代理商の留置権は、破産財団に対して特別の先取特権とみなされて、別除権が認められる（破九三）。さらにまた会社更生手続上も、これによって担保された債権は、更生担保権とされて（会社更生一二三）、民法上のものより力が強い。その他の効力については、商法に特別の規定がある場合を除き、民法の規定によってきめていくべきである。

(2) 代理商の留置権は、留置される物と債権との牽連を必要としない点で、民事留置権より、はるかに強力である。これは、代理商と本人とのあいだに、継続的取引関係があることに基因する。

代理商の留置権は、特約によって排除できる（商五一但書）。この点は、商人間の留置権（商五二一但書）についても同様であって、規定の形式上は、ともに民事留置権と異なっている。しかし民事留置権についても、解釈上は同様になる。けだし、この留置権は衡平の観念を基礎とするから、明示的または黙示的に、留置権不発生の特約をした債権者が、その特約に反して留置権を行使するのは、衡平の観念に反するからである。のみならず、物権法が特約を排除するのは、取引の安全を保護するためであるのに、この場合には、特約を許しても、取引の安全を害するおそれが全くないからである。

(3) 代理商の留置権は、(a)留置物の占有取得の原因に制限がない点、(b)留置物の所有権が本人に属する必要がない点で、商人間の留置権より強力である。つまり代理商は、相手方から物または有価証券などを受取ることがあっても、本人との取引にもとづいて、これらの物を取得しない場合が、往々あるばかりでなく（例えば買入代理商）、本人のために相手方から受取った物の所有権が、まだ本人に移転しない場合が、よくあるからである。立法論としては、商人間の留置権が、本人の所有物の占有を要件とし、第三者の物を善意に占有した場合にも留置権を認めなかったのは、失当である。

六〇 代理商の権限　代理商の権限は、代理商契約によって定まる。そして、締約代理商は代理権を有し、代理に関する民商法の規定の適用を受けるに反し、媒介代理商は、原則として代理権をもたない。しかし、代理商がこれらのどちらに属するか、また前者に属する場合に、その代理権の範囲はどうかという点は、代理商契約の内容によって、きめるよりほかない。そしてその契約の内容が明確でないなら、選任された業務の種類、および本人の営業の種類を斟酌し、通常その権限に属すると認められるような権限を、有するものと解すべきである。

商法は、疑いを避けるため、物品の販売またはその媒介の委託を受けた代理商は、売買の目的物の瑕疵または数量の不足、その他、売買の履行に関する通知を受ける権限を有する旨を、明かにした(商四九)。締約代理商のみならず、媒介代理商もこの権限を有する点を、とくに注意すべきである。

第四款　代理商関係の終了

六一　一般的原因　代理商と本人との関係、すなわち代理商契約関係は、委任または準委任の一般終了原因によって消滅する。このほか、代理商契約は本人の営業を前提とするから、本人の廃業、または営業譲渡によっても、終了する(松本・四二〇頁、田中耕・二九五頁、反対、西原・四八四頁、大隅・一七五頁、大森・二一五頁)。

六二　特別原因　商法は、当事者の利益を保護するため、解除に関する特別の規定を設けた。すなわち、

(1)　当事者が契約の期間をきめなかったときは、各当事者は、二月前に予告をして、その契約を解除することができる(商五〇I)(その例、東京控・昭和二・五・二八・新聞二七二〇号一五頁、新商判集1五〇条一参照)。予告を要する点が民法とちがっている(民六五一)。右にいわゆる解除は、解約告知の意味であって、もちろん、将来に向ってその効力を有するだけである。

(2)　当事者が、契約の期間を定めたかどうかを問わず、やむをえない事由があるときは、各当事者は、いつでも、その契約を解除することができる(商五〇II)。常に、やむをえない事由があることを要件とする点において、民法とちが

っている（民六五一）。

第三章　営　業

第一節　総　説

六三　意　義　商人は、商行為または商法第四条第二項に掲げる行為を、営業として行なう者であるから、商法には、商人という観念に対立して、営業という観念が存在する。

そもそも営業という観念が、法律上、特殊の意義を有するのは、これを経済的に観察するとき、単純な財貨の集合だけにとどまらないで、それ以上に特殊の意義をもち、法律によって、その保護助長をするだけの価値があるからである。ゆえに、営業の観念を観察するためには、まず、その経済上の意義を観察すべきである。前者は、営業の静的観察であり、後者は、その動的観察である。

第二節　経済現象としての営業

六四　経済現象としての営業は、企業の一形態である。企業とは、財産の不定量の増加を目的とする、経済上の力の投資をいう（Wieland, Handelsrecht I, S. 143 ff. 立場は若干ちがうが西原・二一頁以下参照、なお前出一番注一参照）。

(1)　経済上の力の投資である。すなわち、財産および労力の投資である。投資とは、不確定な損失の危険を冒して、財産または労力を使用することをいう。そして企業は、このような不確実な損失の危険を冒するものであるから、金銭消費貸借または賃金取得の目的だけをもった行為は、企業に属しない。

(2)　財産の不定量の増加を目的とする投資である。すなわち、特定の投資に対して、一定率の利得をするものでなく、偶然の事情によって絶えず変動する、不確定な利得を目的とする投資である。ゆえに、金銭消費貸借、賃金労働は、この意味でも企業に属しない。また、同じく仕事の完成を目的とする行為でも、例えば運送は、事業の本質上、将来の不確定な事情によって利得が左右されるから、企業となるに反し、医師、芸術家などの仕事は、利得が本人の個人的技倆や知識および経験によって、支配されるものであるから、企業にならない。

六五　営業が企業であること、すなわち、偶然性に支配されるものであることは、その経営についてよく考え、よく整頓した組織を要求する。かつその要求は、企業の規模の拡大につれて、ますます強くなる。しかもその経営方法の適否は、ただ当該商人だけでなく、国民経済にも多大の影響をおよぼす。ゆえに、企業の組織に関しては、干渉的な規定を設けて、企業を保護する必要がある。

第三節　法律現象としての営業

第一款　緒　言

六六　営業は、投資された人的および物的財貨、すなわち営利的活動に投資された財産および力であるが、営業の法的観察はここから始まる。そして営業は、この点から三つの要素に分けることができる。(1)営利のためにする営業上の活動、(2)営業財産（営業のために利用する財産権）、(3)財産的価値を有する事実関係（得意先、信用、営業上の秘密など）、すなわちこれである。

しかし右の三者は、観念上分離するだけで、事実上は不可分の関係にある。ことに営業上の活動は、他の要素を有機的に結合し、営業に、その各要素の価値以上の価値を付与するものである。

六七　営業は、上述の三要素が結合したひとつの存在物として、取引の目的物になっているから、これを、財産的価値のある一箇の権利(営業権)として保護する、法律上の価値があるのであって、商法第一六条ないし第二四条は、間接にこれを認めたものである。また、営業権の侵害に対しては、不法行為が成立する(大判・大一四・一一・二八・民集四巻六七六頁、最高判・昭三七・一一・一九・最高民集一六巻一号五八、新商判集1二五条三、四条四、なお不正競争防止法および鈴木「流通の対象たる企業と侵害の対象たる企業」法協五九巻一四一五頁以下、殊に一四三四頁以下参照)。

六八　営業は、上述の三要素からできているから、款を、(1)商人の企業組織(営業組織)、(2)取引の目的としての営業(営業譲渡)、(3)営業者である商人の対外関係(商業登記)に分けて、論ずることにする。

第二款　営業組織

六九　営業組織とは、商人が、いかなる組織において営業を経営するかの問題であって、法律上は、商号、営業所、商業帳簿の問題に帰着する。

第一項　商　号

第一目　商号の意義と沿革

七〇　商号とは、商人が営業上、自己を表わすために用いる名称をいう。

(1)　商人の「営業上の名称」である。すなわち、商人が営業に関する取引について、「自己をあらわす」ために用いるものである。ゆえに、商号は営業自体ではない(西原・四九三頁は、やや反対的な立場に見える)。営業の所有者は、つねに商人であって、商号は営業の構成部分である。ただ商人は、商号によって営業上自己を表示するから、営業全体が商号によって統一され、商号が、商人と営業との二面を表わす形を、とるだけである。

自然人である商人には、商号と民法上の氏名との、二つの名称があるけれども、会社は、営利の目的の範囲においてだけ、人格があるにすぎないから、商号以外の名称をもたない。

自然人である商人は、おおむね二種の称呼を有するが、必ずしも、氏名以外の名称を選ぶにおよばない。氏名が同時に商号でもかまわない。また、二種の称呼を有する場合にも、営業上の行為をするにあたり、必ずしも商号を使用する必要はない（例えば商五七一Ⅱ2、六四九Ⅱ7、大判・大五・三・一一・民録二二輯四四二頁、新商判集1一六条一参照）。氏名以外の通称または雅号を使用しても、その行為は有効である。これに反し、営業以外の行為に関して商号を使用した場合には、その行為の効力に疑いを生ずるばかりでなく、法が氏名の使用を強要したところでは（例えば不動登三六Ⅰ2、商登一七Ⅱ1、2）、行為が無効になる。

商号は営業上の名称であるから、営業に関する裁判外の行為はもちろん、裁判上の行為についても、これを使用できる（一）。

一　竹田・総則一一〇頁、大隅・一八四頁、田中誠・一八〇頁、古い大審院判決は反対である（明治三四・六・二八・民録七輯六巻七四頁、新商判集1一六条五）。しかし、多くの下級裁判所の判例は、学説と同じ立場である。新商判集前掲六以下参照。

商号は商人の営業上の名称であるから、商人が営業をする意思を客観的に認めうるだけの事実があることを要する。ゆえに、必ずしも開業を要しないが、その準備行為があることを要する（大決・大正一一・一二・八・民集一巻七一八頁、新商判集1一六条一一、判民一一年度一〇六事件松本評釈、大隅・一八四頁）。

(2)　商人が「自己を表わす」名称である。ゆえに氏名と同様に、文字で表示することができ、かつ、呼称しうるものでなければならない。この点において商標と異なる。図形の紋様などは、商標にはなるが商号にはなりえない。

また、名称であるから、文字に記しうるものであることを要する。文字であるかぎり、外国語でもかまわないが、商号の登記によって専用権を取得するためには、日本文字でなければならない（横浜地決・明治三六・五・二五・新聞一四二号一四頁、新商判集1一六条一四、通説である）。

(3) 「商人」の名称である。ゆえに、商人以外の者が使用する事業上の名称（例えば病院の杏雲堂、順天堂という名称）は、商号でない。これに反し、小商人は商人であるから、商号を用いることができる。ただ、その登記ができないだけである（商八）。

七一 沿　革　商人が、その氏名とは別の商人的名称（商号）を用いることは、中世のイタリアにおいて、会社の名称を略記する必要にもとづいて起こり、さらに、個人商人の相続人または譲受人が、「のれん」を維持するため、先代の商人の氏名をつぐようになって、ますます発達したものである。個人商人は、はじめは、その氏名または記号を使用するだけで足りたが、近世になって、その営業上の名称も、商号としての保護を受けることになったのである。わが国では徳川時代の終りまで、一般庶民は、姓氏をもつことを許されなかったから、商人は、屋号でその営業を現わした。明治になって、外国法を継受するにおよび、この屋号が、氏名その他の名称とともに、商号として用いられることになった。

七二 立法の必要　商号は、商人の営業上の名称であるから、商人のために、これを保護する必要があると同時に、商号を信頼して取引をする善意の第三者を、保護する必要がある。ゆえに法は、商号についてこの二つの役割を演ずるのである。

第二目　商号の選定

七三 立法例　商号の選定について、商人の利益と第三者の利益との、いづれを厚く保護するかにより、立法例が三つに分れている。

(1) 商号の選択を、全く商人の自由に委せたもの（商号選択自由主義）（英、北米、わが国など）。

(2) 営業の真実と合致しない商号の選択を認めず、また、商号の譲渡または相続も、著しく制限されているもの（商号厳格主義）（仏、スイスなど）。

(3) 最初の商号は真実に合致することを要するが、その内容が変化し、または営業を譲渡した場合には、従来の商号の続用を認めるもの（折衷主義）（独）。

七四　わが商法は「商人は其の氏、氏名其の他の名称を以て商号と為すことを得」と規定している（商一六）。これは、旧慣を尊重したものであって、従来の屋号を商号として保護する必要から、原則として商号選択の自由を認めたのである。ただし、この商号選択の自由に対しては、法律上、つぎの制限がある。

(1) 公序良俗に反する商号の選択を許さない（民九〇）。

(2) 不正の目的をもって、第三者に、他人の営業であると誤認させるような商号を、選択することができない（商二一I）。これは、自己の商号中に、他人甲の名称を使用することによって、第三者に、その営業が甲の経営にかかるものであると誤認させ、それによって、甲に不利益を与える危険を防止したものである。そしてその甲は商人に限らず、一般人でもよく、法人（例えば学校や病院）でもよい（一）（二）。またその甲が商人である場合にも、その商号の登記の有無は問題でない。ただし、登記のない商号の所有者について、本条の適用を生ずることは、実際上稀であろう。

一　旧版の七七番で、商法第二一条が、商人以外の者の名称を使用した場合だけを、規定したものと解したのは、狭すぎた。この点につき、鈴木「商号の侵害」我妻還暦記念—損害賠償責任の研究—（下）四七頁参照。本文で述べた立場に反対の口火を切ったものとして、西原「商号保護と登記との関係」民商九巻五五九頁以下参照。

二　商法第二一条によっても救済できたと思われるが、不正競争防止法第一条によって救済した判例（三菱同系会社事件）に、大阪高判・昭和三九・一・三〇（判時三六四号二九頁、タイムズ一五七号一八一頁）、同・昭和四一・四・五（判時四五一号四二頁）がある。

「不正の目的」とは、第三者を誤認させようとする目的である。したがって、この目的があるというためには、客観的に誤認を生ずる可能性があることを要する（例えば最高判・昭三六・九・二九・最高民集一五巻八号二二五七頁、新商判集1二一条二、そのほか同条一、三、四、同上二〇条および新商判集2補遺二〇条二一条所掲判例参照）。

上述の禁止に違反して商号を使用する者があるときは、これによって利益を害されるおそれがある者は、その使用を止めることを、請求できるとともに（実例として最高判・昭三六・九・二九・最高裁民集一五巻八号二二五七頁、東京高判・昭三四・九・三、東京地判・昭三二・九・三〇、上掲民集二二六八頁、二二六五頁、新商判集二一条二以下参照）、損害を受けた場合には、その賠償を求めることができる（商二一Ⅱ）。かつ、右の違反者は、五万円以下の過料に処せられる（商二二）。

(3) 登記のある他人の商号を、不正の競争の目的をもって、選択することができない（商二二〇、）。この点は後述する（七八番）。

(4) 会社以外の者は、商号中に、会社であることを示す文字を用いることができない（例えば合名商会という文字の使用ができない。大決・明治四一・一一・二〇・民録一四輯一一九四頁、新商判集1一八条四。組合でない者の組合名の使用は妨げない。東京地決・大正一一・五・二七・新聞一九八八号一二、新商判集前掲六）。会社の営業を譲受けた時も同様である（商一八Ⅰ、有三Ⅱ）。かつ、この禁止に違反した者は、五万円以下の過料に処せられる（商一八Ⅱ）。会社が特別法により、商号中に事業の性質を示す必要がある場合には（後出5参照）、会社以外の者は、この名称をも選択できない（貯蓄四Ⅱ、無尽業五Ⅱ、信託業三Ⅱ）。

(5) 会社の商号中には、その種類にしたがって、合名会社、合資会社、または株式会社の文字を用いることを要する（商一七）。有限会社についても同様である（有三Ⅰ）。そして、特別法による会社中には、さらにその事業の性質の指示を命ぜられている者と（保険四、信託業三Ⅰ、二、無尽五Ⅰ、貯蓄四Ⅰ）、会社の種類の指示を要しない者とがある。後者としては、特別法により商号が決定し、選択の自由のない者がそれである。

(6) 商号の選択については、右のような制限があるにかかわらず、甲が乙の氏名または商号を、自己の商号として使用しようとするときに、もし乙がこれを許容したならば、第三者は、乙が営業の主体であると誤認することが起こりうる。ゆえに法は、その使用を許容した乙の、第三者に対する責任を規定する必要がある。よって商法は、

「自己の氏、氏名又は商号を使用して営業をなすことを他人に許諾したる者は自己を営業主なりと誤認して取引を為したる者に対し其の取引に因りて生じたる債務に付其の他人と連帯して弁済の責に任ず」と規定した（商二三）。これが、いわゆる名板貸（看板貸）に関する規定であって、氏名の使用許容者に、禁反言の原則（二五3注一参照）を適用するとともに、氏名使用者に、自己のした取引について、当然に債務を負担させ、かつ、両者の債務を連帯として、厚く第三者を保護したものである（小町谷・時報八巻一二号四頁のほか、本書二五3注一参照。なお商法第二三条と民法第一〇九条との差異が、形式上のものにすぎないことにつき、小町谷・商判研究昭和二八年度四九事件二四五頁以下参照）。

商号使用許諾の意思表示は、明示である必要がなく（明示の例、最高判・昭和三三・二・二一・最高民集一二巻二号三八三頁、新商判集1二三条八）、黙示でもよい（黙示の例、大阪高判・昭和二八・九・四・最高民集九巻一〇号一二五六頁、新商判集前掲二九）。またこの場合における商号は、必ずしも登記のある商号に限らない。しかし商号使用の許諾を与えた商人に、責任を負わせるためには、その商号の使用者が、許容者の営業の範囲に属する行為を行なった場合にかぎる（最高判・昭和三六・一二・五・最高民集一五巻一一号二六五三頁、新商判集1二三条四、なお大阪高判につき新商判集前掲四八参照）（一）（二）。これらの点は、上に述べたこの規定の目的にてらして、当然のことである。

一　商号使用許諾者の責任は、近時、手形行為をめぐって、判例が頗るふえている（新商判集2補遺二三条一〇以下参照）。商人以外の者が、第三者に氏名の使用を許諾した場合に、商法第二三条の準用があるかどうかが、公法人、公益法人などの責任をめぐって問題になった。最高裁判所は公社の責任を認めなかったのであり（昭和四〇・二・一九・判時四〇五号三九、新商判集2補遺二三条一九）、下級裁判所の判例にも同じ立場のものがある（新商判集1二三条四五ないし四七、同2補遺二三条二〇、二一、二二）。しかし反対の立場のものもある（新商判集2補遺二三条二三）。要するに、氏名の使用を許諾した事実の有無、および名板借人と取引をする相手方が、名板貸人の取引であると誤認する正当な事情があったかどうかによって、きめるべきことであって、公法人の責任を認めなかった上掲の諸判例は、いずれも、これらの点につき、消極的な認定をしたものである。

二　商号または氏名の使用許諾者が、名義借人またはその被用者の不法行為につき、責任を負うかどうかの問題に関し、判例の立場がわかれている。かつ、自動車の交通事故に関連して、判例がふえる傾向にある（新商判集1二三条五三以下、新商判集2補遺二三条七以下参照）。これらの問題は、商法第二三条の適用範囲の問題ではなくて、不法行為法上の問題である。

七五　商人は数個の商号をもちうるか。この点は、会社と自然人とで結論がちがってくる。

会社は、その目的の範囲内においてだけ、人格を有するから、数個の営業をいとなむ場合にも、その総てが会社の目的である。ゆえに会社は、常に一個の商号をもちうるにすぎない。

自然人の商号は、その者の営業についての名称である。ゆえに、営業の種類ごとに別個の商号をもちうる（商登二八Ⅱ2五一Ⅰ3、商登則五二）。これに反して、一個の営業につき、数個の商号をもちいることはできない（商号単一の原則）。取引の相手方に不便があるのみならず、不当に、他人の商号選択権を制限するからである（商一九参照）。ただし、支店設置に当り、他人の登記商号と区別する必要がある場合には、その限度で、例外を認めるべきである（多数説である。例えば石井・一〇九頁、大隅・一九二頁、田中誠二・一八五頁、西原・四九九頁、なお大判・明治三四・五・一四・民録七輯五巻八一頁、新商判集1一七条一参照）。

第三目　商号権

七六　**緒言**　自然人である商人は、商号の使用によって商号権を取得する。商号については登記制度があるけれども、それはただ、商号専用権を作るだけであって（後出七八番参照）、登記前に商号権が発生することを、妨げるものではない（通説である。例えば竹田・総則一二〇頁、松本・二六〇頁、田中誠・一八六頁、大隅・二〇〇頁、西原・五〇一頁参照）。

会社は、設立登記により、はじめて成立するとともに（商五七、有四）、その商号は、絶対的登記事項であるから（商六四Ⅱ、一八八Ⅱ1、有一三Ⅱ1、商登二八、商登則五一参照）、その商号権は設立登記によって発生する。

七七　**性質**　商号権は、登記の前後を問わず財産権である（大判・大正一〇・一二・三・民録二七輯二〇八六頁、二〇九〇頁、昭和八・七・八・新聞三五八六号一二頁、新商判集1二〇条四、五、六）。

けだし商号は、その登記の有無と関係なく、これを中心として得意先ができるため、財産上の価値をもつようになって、取引の目的物となったり、競業回避の特約の目的となるからである。旧商法施行法が、明治二三年の旧商法施行前から使用されていた商号について、その登記がない場合にも、登記があるのと同一の効力を認めたのも（旧商施一三）、そのことを論証する形式上の一つの根拠になる。

未登記商号も財産権であるから、これに対する不法行為の成立がありうる（不正競争一ノ二参照）。かつ、その商号が、わが国で広く認識されている場合には（例えば未登記の有名な外国会社）、不正競争防止法の適用により、その使用の差止をうける可能性がある（同法一Ⅰ2）（一）。

一　不正競争防止法が昭和一〇年一月一日に施行されてから、数回の改正によって、その適用範囲が著しく拡張された（この法律の簡単な解説につき、田中誠・二九七頁以下参照）。その結果、商法第一九条ないし第二一条との関係が複雑になった（西原・五〇九頁参照）。この点を、立法によってどう解決するかが、将来の問題である。

七八　商号専用権　　登記した商号は専用権を生ずる（一）。すなわち

(1)　他人が登記した商号は、同市町村内において（七大都市では区、商改正施五）、同一の営業のために、これを登記することができない（商一九）。ただし、明治二三年の旧商法の施行前から使用する商号については、このかぎりでない（旧商施一三Ⅰ）。登記ができないのは、その他人の商号と同一の商号だけではなく、一般人が、通常の注意をしても、判然と区別できない程度の、類似した商号をも含む、と解すべきである（商登二七参照）。

一　近時の多数説は、商法第二一条（七四番6参照）を根拠として、未登記商号にも専用権があると解している（西原・五〇二頁以下、石井・一一三頁、大隅・二〇一頁、大森・一二〇頁）。この立場に対する反駁として、鈴木「商号の侵害」——我妻還暦記念——損害賠償責任の研究（下）三九頁以下参照。

商号権の本体は財産権であるが㈡、商号により営業をする者の名誉も、法律上これを保護する価値がある。ゆえに、商号権には名誉権が附随するものと解すべきである(不正競一Ⅲ参照)㈢。

二 商法第二四条があるため、商号の差押はできない(大隅・二〇四頁、田中誠・二〇一頁)。小町谷は、商法第二四条の改正前に、差押ができると解した(小町谷=伊沢・商事判例回顧五二頁)。改正前にも差押を認めない立場は、大判・昭和七・一一・一一・民集一一巻五頁、新商判集1二四条一であり、田中耕・評釈(判民昭和七年度一事件)がこれと同じであった。

三 商号権が、財産権と人格権とを併有することは、通説(例えば西原・五〇一頁、大隅・二〇三頁、大森・一三六頁、田中誠・一八六頁、石井・一一二頁。ただし鈴木・前掲論文四九頁は、財産権にすぎぬと説く)、および判例(大宣・明治四五・七・二三・刑録一八輯一〇九七頁、新商判集2補遺二五条二、ほかに下級審判決につき、新商判集1二〇条一〇〇、一〇一参照)の認めるところである。小町谷を、商号権に人格権を認めない説にあげるのは(前掲大隅、田中、大森)、旧著の六七頁における説明を、看過したものである。

(2) 商号の登記をした者は、不正の競争の目的をもって、同一または類似の商号を使用する者に対して、その使用を止めるように請求できるとともに、損害賠償の請求をすることができる(商二〇Ⅰ)。そして、同市町村内において、同一の営業のために、他人の登記した商号を使用する者は、不正の競争の目的をもって、これを使用するものと推定される(商二〇Ⅱ)。ただし、明治二三年の旧商法施行前から、同一または類似の商号を使用する者に対しては、商法第二〇条の適用がない(旧商施一一三Ⅱ)。なお、使用とは広い意味であって、営業を表わすために使用する一切の方法を含む。

以上**(1)(2)**の場合における市町村の意義については、商法施行法に特別の規定がある(商施五)。

「不正の競争の目的」というのは、一般社会の人々に、不正使用者甲の商号と、正当な登記商号権者乙の商号との、混同誤認を生じさせようとすることである(通説である。大判・昭和一〇・四・二六・民集一四巻七二〇頁、新商判集1二〇条一八、なお大正七・一一・六・評論八巻商七〇頁、新商判集1二五条五七参照)。混同誤認を生ずるおそれの有無は、社会通念によって決する。また同一または類似商号(以下、類似商号という)の使用があるというためには、取引につきその商号を使用する場合に限らない。事実上その商号を使用(例えば広告)することにより、一般人が甲と乙とを混同するおそれがある場合でもよい(竹田・一三三頁、西原・五〇七頁、大森・一二一頁、大隅・一九八頁。類似商号を使わないが、他人の商号を自己の商号として使用しているかのような、誤認を生ぜしめる場合をも含む、という説があるが—古瀬村・商法演習Ⅱ二八頁—その場合はむしろ不正競争防止法第一条を適用すべきものである)。かつ、類似商号は、登記の有無を問わないとともに、同一市町村内で使用する場合に限らない(商二〇Ⅱ参照)。なお、商法第二〇条の適用があるためには、甲と乙との営業が同一種類に属することを要する。けだしこの場合にはじめて、一般人の誤認により、乙が不利益をうける関係を生ずるからである(竹田・総則一三三頁、西原・五〇七頁、大隅・一九七頁、反対松本・二五七頁、石井・一一五頁)。

商号専用権者は、類似商号の使用者に対して、使用を止めることを請求できるから、類似商号の登記がなされている場合には、その抹消の請求ができる(一)。

(一)　使用を差し止められる者が会社である場合に、商号を変更して、定款変更の登記をするまでのあいだ、および変更登記の申請に、いかなる名称を用いるかの問題が生ずる。「抹消前商号」の附記によるほかないであろう(この点につき、古瀬村・前掲二九頁、豊崎「会社商号の抹消について」企業法研究九三輯二頁以下参照)。また、定款変更のためにする株主総会の招集通知は、会社の内部の行為であって、一般人の混同誤認と直接に関係しないから、上掲の附記をしなくても、その招集通知を不適法なもの(商二四七参照)にしないと信ずる(古瀬村・前掲、鈴木「会社の営業所」上智法学論集一〇巻二号四頁参照)。

商号専用権については、商号権者が他人に同一商号の登記の同意を与えても、登記ができないことを理由にあげ、かつこれと、商号権者は同一市町村内においてすら、不正競争の目的がある場合にだけ、同一商号の使用禁止を請求できるにとどまる点とを比較し、商号専用権は、登記法上の権利にすぎないとみなす説がある(竹田・商法総論一二九頁)。しかし第一の制限は、第三者の誤認を防止する必要からであり、第二の制限は、商号専用権の保護を、この程度で足りると認めたためである。そして商号権者が、同一商号の抹消請求権を有し（商一九）、かつ、不正競争回避の請求権を有することは（商二〇）、それ自体、ともに、商号専用権を私権と認めるのに、十分な根拠である（結果同説、西原・五〇五頁、鈴木・前掲論文四四頁）。

七九　登記のある商号は、その専用権を生ずるから、これの乱用を防止する必要がある。ゆえに商法は、「商号の廃止又は変更ありたる場合に於て其の商号の登記を為したる者が廃止又は変更の登記を為さざる時は利害関係人は其の登記の抹消を登記所に請求することを得」と規定した（商三一）（甲が商号を廃止または変更したので、乙が甲の旧商号を自己の商号に選択する場合に、最もこの規定の効用が現れる。大決・昭和六・三・一三・新聞三二五四号一五頁、新商判集1三一条三参照）。

営業の種類を変更した場合には、「営業」の変更登記をすることを要する。これは、商号の登記には、営業の種類の登記がいること（商登二八Ⅱ）、および商号専用権は、その営業と関連して認められるものであることに、よるものである。ゆえに、もし営業主がその登記をしないならば、変更した営業については、商号専用権がないとともに、従来の営業については、その商号を使用していないことになり、商法第三〇条と第三一条の適用を受けることになる。

登記官は、商号抹消の申請にもとづき、または職権で、商号登記者に対し、一月を超ない一定の期間内に、書面による異議の申出を催告し、その期間の徒過により、もしくは異議を却下したときは、登記を抹消することを要する（商登三三、なお一一〇以下参照）。

八〇　商号の譲渡

(1)　譲渡の可能性　商号は、登記の有無を問わず、事実上、商人自体を離れた特殊の地位をもち、或いは単独に、或いは営業の他の構成要素とともに、譲渡の目的物となる（商二四Ⅰ）。ただ、未登記商号は、譲受人の方で商号登記をしないかぎり、専用権を生じないから、事実上、取引の目的になることが少いだけである。

(2)　譲渡の制限　商法の規定によれば、商号は営業とともにするか、または営業を廃止する場合に限って、これを譲渡することができる（商二四Ⅰ）。その理由は、商号が本質上、営業と不可分の関係にあること、商号だけの譲渡は、他人に営業主体を誤認させるおそれがあって、商法第二一条ないし第二三条の立法精神と矛盾することにある。しかし、商法は旧慣に則り、商号真実主義を採らなかったのであって、商号は無条件に、かつ、単独で譲渡できることに、社会的意義があるのみならず、営業主体を誤認させる危険は、第二一条ないし第二三条の方で、十分に保護できるから、第二四条の制限は、不必要なものである。

なお第二四条は、商号廃止の特約と無関係である。ゆえに、特約により商号と営業とを廃止し、あるいは商号のみを廃止し、他の商号をもって営業を継続することを、妨げない。

(3)　譲渡の方法　　商号の譲渡は、当事者間では、譲渡の意思表示だけで効力を生ずるが、その取得を第三者に対抗するためには、登記を要する（商二四Ⅱ）。かつ、その第三者の善意悪意を問わない（取引関係の場合には、商法第一二条の適用があることにつき、後出一二四番2参照）。また登記した商号の譲渡の登記は、商業登記法第三〇条の規定による。未登記商号は、譲受人が商号の登記をすれば足りる。

(4)　譲渡の効果　　商号の譲渡は、商法第二三条の準用を生ずるとともに（七四番2参照）、他方において、営業とともに譲渡された場合に、営業譲渡に関連する効果を生ずる（一一〇番1参照）。

第二項　営　業　所

第一目　営業所の意義

八一　営業所とは、商人の営業活動の本拠、すなわち営業に関する指揮命令が発せられ、かつ、営業を目的とする基本的取引が、平常行なわれる場所をいう。ゆえに、補助的行為のみが行なわれる場所（例えば工場、倉庫、出張所）は、営業所でない。

営業所は、営業の事実上の中心地をいうから、商人は、事実に反した場所を営業所であると、任意に主張することはできない。ただし、そういう場所を営業所として登記した場合に、善意の第三者は、そこが営業所であると主張することができる（商一四参照）（石井編・註解株式会社法一巻八五頁参照）。かつ会社にあってはさらに、その登記簿上の本店の所在地を標準として、法定の行為をしなければならない（例えば商八八、二三二、二四七Ⅱ、二六三、三八二、三八七、四三三参照）（一）。

一　鈴木「会社の営業所」上智法学論集一〇巻二号一頁以下参照。

第二目　営業所の数

八二　営業所と住所は、必ずしも各別に存在することを要しない。ただ会社には、その本質上住所がなく、営業所があるだけである（商五四Ⅱ、なお民五〇、民訴四Ⅱ、刑二Ⅰ、法税一六参照）。

八三　商人は数個の営業を営む場合、または支店を置く場合に、数個の営業所を持つことができる。前者にあっては、各営業が独立しているから、その営業所も、おのおの独立の存在であって、相互に関連するところがない。ただ、会社はその本質上、かような営業所を持ちえないだけである。後者にあっては、支店で同一の営業が行なわれるから、営業所相互間に本店支店の関係を生ずる。支店は、本店に経済的に従属するものであるが、これも一個の営業所であるから、本店が廃止されても、独立の営業所として存続できる程度の組織を、持つものでなければならない。この点で、出張所、分店、工場、倉庫などと異なる。

第三目　営業所の法律効果

八四　営業所は、それが商人の住所と別に存在する場合に、法律上特別の意義をもつ。すなわち、(1)営業所は債務の履行につき、住所に優先することがある（商五一六）。(2)営業所が、そこにおける業務に関する裁判管轄地となりうる（民訴九）。(3)商業登記に関する管轄登記所を定める（商九）。(4)破産管轄裁判所を定める（破一〇五）。(5)主たる営業所が会社の普通裁判籍をきめる（民訴四Ⅰ）。(6)国際商取引では、営業所の所在地が、契約地を定める標準になる。

八五　本店と支店との存在が認められる結果、登記（例えば商一〇、一三、六五ないし六七）および債務の履行（商五一六Ⅲ参照）について、支店が、独立の取扱いをうける。

第三項　商業帳簿

第一目　総説

八六　沿革　現代の商業帳簿の先駆になったものは、中世イタリアで、商人が採用した複式簿記である。そして、このような簿記の発達を促したものは、信用取引、ことに、その中心をなす銀行の発達であった。

八七　目的　商人は毎日無数の取引をするから、その取引を記帳し整頓することが、その営業を維持発展させるために、はなはだ重要である。ゆえに、商業帳簿の目的は三つに分れる。(1)積極財産と消極財産との比較により、純益の有無を知ること、および、各営業年度の純財産を比較して、その増減を知ること、(2)営業の各部門の結果を知ること、(3)決算方法を知ることが、それである。そして、商業帳簿がこの目的を達成することは、商人自身のためだけでなく、商人と取引をする第三者のためにも、重大な利害関係がある。ことに、会社財産だけが唯一の担保になる物的会社では、公衆にも利害関係が深い。商法が、一般的に、商人に対して商業帳簿の作成、提出、保存の義務を負わせるとともに、株式会社や有限会社について、とくに、詳細かつ厳格な規定を設けているのは（商二八一以下、有四三、四六）、そのためである。

八八　立法例　商業帳簿は上述のように、一方において、商人およびこれと取引をする第三者の利益に役立つのであるが、商人の財産は刻々に変動するから、これを完全に記載することは不可能である。しかも、簿記術は日ごとに発達していくから、法は、みだりにこれに干渉すべきでない。そこで、三つの立法例を生ずる。

1　厳格主義　帳簿の種類および数、官庁による帳簿の検査、頁数の記入について規定するとともに、帳簿の証拠力および提出義務をも規定するもの（例えば仏商八ないし一七、旧独商四三）。

2　寛大主義　前者より、やや寛大であるが、後者にくらべて、帳簿の種類、記載方法、評価方法、提出義務などでは、依然、干渉的な規定を置くもの（瑞債八七七ないし八八〇、独商三八ないし四七）。

3　自由主義　商人に、原則として帳簿の作成義務を命じないもの（英米）。わが商法は、この主義と寛大主義との中間にある。

八九　意　義　商業帳簿とは、商人が、その営業の景況および財産の状態を明らかにするために、法律上の義務として作成する帳簿をいう。

(1)　商人の帳簿である。相互保険会社のような非商人、または、小商人（商八）の作成する帳簿は、実質上、商業帳簿と類似していても、商法の適用を受けない。

(2)　商人の営業の景況および財産の状態を、明らかにする帳簿である。ゆえに商業帳簿は、取引に関する一切の事実を、年代的に記載したもの、または、取引に関する一切の文書の総称ではない。また、株主名簿、社債原簿（商三〇三）、仲立人の日記帳（商五四七）、倉庫証券に関する帳簿（商六〇〇）などは、たとえ、商法によって作成を命ぜられる帳簿ではあっても、営業および財産の状況を明らかにする目的がないから、商業帳簿でない。

(3)　法律上の義務として作成する帳簿である。日記帳、財産目録、貸借対照表の三つが、これである（商三三二）。商人が、単に備忘などの必要から、任意に作成する帳簿は、たとえ、営業および財産の状況を明らかにするものでも、商業帳簿とはいえない。

株式会社その他の物的会社には、さらに、損益計算書の作成義務があるけれども（商二八一4、四五八Ⅱ、有四三）、これには、商法総則の規定の適用がない。

なお、異論はあるが、この損益計算書とか営業報告書なども、営業の概況ないしはその成績を示すもので、財産の状況を明らかにするものではないから、商業帳簿ではないと解せられ、結局、現行法上、商業帳簿は、日記帳、財産目録、貸借対照表（商三二、三三）の三つとなる（例えば大隅・二一〇頁、石井・旧Ⅰ一一〇頁、反対西原・四三九頁、田中誠二・二一五）。

九〇　作成方法　財産目録および貸借対照表は、これを編綴し、または特に設けた帳簿にこれを記載し（商三三Ⅲ）、かつ、作成者がこれに署名することを要する（商三三Ⅳ）。これは、詐欺的行為を防止するとともに、責任者を明らかにするためである。作成者とは作成義務者の意であって、記帳係ではない。

日記帳の作成方法については制限がない。ゆえに、製本、カード式、ルーズ・リーフ式など、いづれでもよい。

九一　記載方法　帳簿の記載方法は、整然かつ明瞭であることを要する（その反対の例につき、大判・明治三九・一・二三新聞三三二号一三頁、大正一三・九・二九、新聞二三二三号二〇頁、新商判集1三二条二、三参照）。商法が、日記帳についてこの点を明記したのは（商三二）、自明の理を表わしたにすぎない。

貸借対照表においては、貸方および借方、すなわち消極財産と積極財産との二欄を設けることを要する（商三三Ⅰ）。貸借対照表にいわゆる消極財産および積極財産は、必ずしも法律上のそれと一致しない。それは、貸借対照表の積極財産が、商人の資産のほかに、繰延資産を含むとともに（商二八六条ないし二八七参照）、消極財産が、債務のほかに、積立金（商二八七ノ二、二八八ノ二参照）のごとき、控除項目をも含むからである。

貸借対照表の積極財産総額が、消極財産総額を超えるときには利益があるから、その額を、消極財産の欄に記入すべきである。また、後者が前者を超えるときには、損失が出ているのであって、その額を、積極財産の欄に記入し、このようにして両欄の平均を、はかるべきものである。

なお、株式会社の財産目録、貸借対照表、および損益計算書の記載方法、その他の様式は、さらに、命令の定めるところによることを要する（商施四九、株式会社の貸借対照表及び損益計算書に関する規則）。

九二　帳簿の提出義務　裁判所は、申立により、または職権をもって、訴訟の当事者に、商業帳簿またはその一部の提出を、命ずることができる（商三五）。これは、民事訴訟法第三一二条を補充し、商法の公示主義を貫ぬくためである。そして、提出義務者が提出をしない場合には、同法第三一六条の適用を受ける。

帳簿の提出義務者は、現に商人である者、または帳簿の保存義務者である。そして当該事件が、商事事件であるかどうか（例えば相続事件）を問わない。

提出帳簿の証拠力は、裁判官の自由裁量に属する。

九三　保存義務　商人は十年間、その商業帳簿およびその営業に関する重要書類（民訴三一二参照）を、保存することを要する。十年の期間は、帳簿閉鎖の時から起算する（商三六）。

九四　制　裁　商業帳簿の備付義務違反に対する制裁は、一般商人については、破算の場合に、不利益を受けるおそれがあるだけであるのに反し（破三七四3、三七五4）、会社については、その機関が過料の制裁を受ける（商四九八I9、有八五I、なお会社更生二九〇参照）。

第二目　日　記　帳

九五　意　義　日記帳とは、商人が日々の取引、その他、財産に影響をおよぼすべき一切の事項を、記載した帳簿をいう（商三二I）。

(1)　「日々の取引」を記載した帳簿である。日々の取引とは、契約を締結した意味ではなく、商品の引渡、または代金の支払などがあった事実をいう。

(2)　「財産に影響をおよぼすべき一切の事項」を記載した帳簿である。財産に影響をおよぼすべき事項とは、経済的に観察して、財産に変動をおよぼした事項をいう。日々の取引もその一例であるが、商法は、その他一切の事項の記載を要求しているのであって、例えば盗難、火災、家事上の出納などによる財産の変動が含まれる。

簿記の実際では、日々の取引を、その発生順に記載する日記帳、その取引を借方貸方に振り分けて記載する仕訳帳(それにかわる伝票)をもとにして、取引を各勘定科目に従って整理する元帳などがあるけれども、商法上いわゆる日記帳は、これらのすべてを含むものと、解すべきである。

九六　記載方法　商人は、前記のような一切の事項を記載する義務を負担するが、その記載方法は、整然かつ明瞭であればよく、必ずしも毎日記載する必要はない。かつ、家事上の出納は、一月毎にその総額を記載すれば足りる(商三二I但書)。商法は、家事費用といっているが、収入をも含むと解すべきである。また小売の取引は、現金売と掛売とに分け、日々の売上総額だけを記載すれば足りる(商三二II)。日々の売上とは、日を分ける意味であって、毎日記載する趣旨ではない。

かように、日記帳が商人の財産の変動を明らかにするもの(動態帳簿)であるのに対して、財産目録と貸借対照表とは、一定の時期における、商人の財産の状況を明らかにするもの(静態帳簿)である。

第三目　財産目録と貸借対照表

九七　意　義　財産目録とは、一定の時期における商人の財産の総目録であって、その財産の状況を明示する目的を有する帳簿をいう。

貸借対照表とは、一定の時期における商人の総財産を、積極財産と消極財産の二欄に分けて対照し、その財産の状況を、総括的に表示する目的をもった帳簿をいう。

このように、貸借対照表は、元来、財産目録を基礎にして作成するものとされているが(棚卸法)、実際には、会計帳簿の記録から直接に、これを作成する方法(誘導法)がとられており、財産目録の重要性は、次第に減少しつつある(商二八三、二八五、なお企業会計原則参照)。

この二つの帳簿は、ともに、一定の時期における商人の財産状態を示すもの、すなわち、営業の静的状態を示すものであって、その動的状態を示す日記帳と、この点で対立している。

九八　比較

(1)　財産目録は、各種の積極財産および消極財産を各別に評価し、くわしく記載したものであるのに反し、貸借対照表は、財産状態を総括的に表示するものである。

(2)　前者は、積極財産および消極財産の内容を示すにとどまり、損益の結果を示さないに反し、後者は損益を表示する。

(3)　前者は、勘定形式に拘束されないのに反し、後者は、消極財産と積極財産（貸方と借方）の二欄をもった勘定形式である。

九九　種類　二つの帳簿が、平時に、定期的に作成されるか、非常時に、臨時に作成されるかにより、平常財産目録と平常貸借対照表、非常財産目録と非常貸借対照表とに分れる。

前二者は、損益計算の基礎をなし、後二者は、おおむね、財産分配の基礎をなすものである。

前二者は開業（会社では成立）の時（開業財産目録、開業貸借対照表）と、毎年一定の時期（会社にあっては毎決算期）（商三三I、II）に、作成するものであり（年度財産目録、年度貸借対照表）、後二者は、臨時に作成するものであって、法は、会社の清算（商一一七I、一三〇I、一四七、四一九、四二〇、有七五I）、破産（破一八九）、株式会社ならびに有限会社の合併（商四一九I、有七五I）、および、株式会社の更生手続開始（会社更生一七八）の場合に、その作成を命じている。

一〇〇　作成の時期　非常財産目録および非常貸借対照表は、破産の場合を除き、法が、その作成の時期を限定しているから、法定の日（例えば解散の日）を基準とし、その日から法定期間内に、その作成をすることを要する。平常財産目録および平常貸借対照表は、つぎにあげる時期に、作成することを要する。

1　商人は開業の時、および毎年一回一定の時期において、財産目録および貸借対照表を作成することを要する（商三三I）。

2　会社は、成立の時、および毎決算期に、右の帳簿を作成することを要する（商三三II）。決算期とは、決算のために定めた特定の日をいう。

法は、1 2の場合について、帳簿作成の標準になる時期を特定したけれども、その作成期間をきめていない。各場合により、相当の期間内に作成すれば足りる。

一〇一　記載すべき財産　財産目録および貸借対照表に記載すべき財産は、動産、不動産、債権、債務その他の財産である（商三三I）。そして、会計学においては、私用財産を記載してはならないとするのであるが、商法上はその記載を要する。なんとなれば、商人の私用財産は、法律的には、営業財産と全然分離して存在するものでないばかりか、この記載を欠くときは、商人の財産状態を正確に知りえないからである（竹田・総論三七頁、松本・二八七頁、二九六頁、田中耕・三五七頁、大森・一五四頁、反対西原・四二〇頁、大隅・二二八頁、田中誠・二二八頁）。

一〇二　評価の標準　財産目録および貸借対照表は、商人の財産状態を明瞭にする目的をもち、その記載財産の評価の適否は、商人にも第三者にも、大きな利害関係がある。しかも商法は、評価の最高額を定めただけで、評価の標準をきめていない（商三四）。

しかるに、その評価を、債権者保護のためにするか、会社の社員の利益保護のためにするか、企業の健全な存続発展のためにするか、などによって、評価の標準がちがってくるから、この点をめぐって、画一主義と個別主義との対立を生じ、さらに、両説の変種を多数生じている（松本・三〇〇以下、田中耕・貸借対照表法の理論二六三頁以下、西原・四二七頁、田中誠・二二四頁以下）。

画一主義は、流動資本と固定資本とについて、画一的な評価標準を立てようとするものであるが、これは、その使用収益により、特殊の価値をもつ固定資本にとって不適当である。ゆえに、流動資本と固定資本とについて、別個の評価標準を立てるのが正当である。すなわち、前者については、交換価格を標準とすべく、後者については、営業価格を標準にすべきである。

商法は財産目録について、流動財産と固定財産とを分け、その評価の最高限を規定した（商三四）。そして貸借対照表については規定しなかったのは、後者が、つねに前者を基礎として作られる、と考えたためである（ただし前出九七参照）。

商法の規定によれば、一般的には、財産目録したがって貸借対照表に記載する財産の価格は、財産目録調製の時における価格を、超えることをえない(商三四Ⅰ)。すなわち、右の時期における交換価格を記載できるとともに、原則として、それ以上の価格を記載できないのである（時価以下主義）。ただし、営業用の固定財産については、その時価にかかわらず、取得価格または製作価格から、相当の減損額を控除した価格をつけることができる(商三四Ⅱ)。したがって、固定資本については、交換価格が右の価額以上である場合には、交換価格を記載し、右の価額以下の場合には、右の価額を記載できる。これは、疑わしい立法である(商二八五参照)。つまり、財産の時価が高いときは、流動資産についてはもとより、固定資産についても、当然に、評価益を計上できることになる。しかし、財産の堅実性が強く要求される物的会社では、このような評価方法を認めることは、不適当であるといわざるをえない。

そのため、物的会社（株式会社、有限会社）については、最近の商法改正により、流動資産、固定資産、金銭債権、社債、株式および暖簾を分けて、評価に関するくわしい規定が設けられた(商二八五以下、有四六)。したがって、現在では、上述の商法第三四条の規定は、株式会社および有限会社を除く、自然人としての商人と、人的会社とについてだけ、適用されるものであることに、注意しなければならない。

なお無体財産権については、簿記の慣行上、他人から有償的に取得した場合にのみ、評価額を記載すべく、その評価基準は固定財産の場合に準ずる。また得意先や暖簾などの事実関係たる財産については、他人から有償取得した場合にだけ、その取得価額を記載することになっている。

商法は、評価の最高限を定めるにとどまるから、資産の過小評価、および負債の過大評価は、一般の合理的慣行の程度を超えない限度において、これを妨げないものと解する(大隅・二三八頁、西原・四三二頁、石井・一三六頁、田中誠・二二八頁)。けだし右の程度を超えた評価は、商人が、隠れた積立に対して、過当に信頼する危険があるだけでなく、第三者が、商人の財産の真実を知りえないおそれがあるからである。かつ株式会社および有限会社については、過少評価を禁じている(商二八五ノ二、二八五ノ三・有四六Ⅰ)。

以上述べたところは、企業の成果の計算を目的とする、平常財産目録および平常貸借対照表における評価原則である。これに反して、商人の有する純財産額の確定を目的とする、非常財産目録および非常貸借対照表については、会社の債務超過の場合には、債権者の利益保護を主眼とすべく(商一二六参照)、また破産および清算の場合には、各個の財産の、各別的処分を前提としなければならないから、交換価格を標準とすべきであるが、そのほかの場合には、営業がなんらかの形で継続されるから、平常財産目録と同一の評価標準によるべきである(大隅・二四一頁、大森・一六二頁、西原・四三三頁、田中誠・二二九頁)。

第三款　営業の譲渡

第一項　総　説

一〇三　商人の営業上の活動および営業上の財産ならびに事実関係は、営利の目的により有機的に結合されて、社会的活力のある一団をなしているため、その商人の人格および自家用財産を離れて、取引の目的物になる。しかしそのことから、営業に独立の人格があるように考えるのは、誤りである。けだし、法律上は、営業の主体がつねに商人自体だからである。また、営業が特別財産を構成すると解するのも、誤りである。それは、法が営業上の債権者のために、営業財産のうえに、優先権を認めていないからである(一)。

一　本文で指摘したように、営業はそれ自体が一箇の物ではないから、営業を一体として物権的に処分することは、現行法上許されない。故に、営業自体の有する担保的価値を利用する道が閉ざされている。しかし、株式会社の発行する社債を担保するために、英国の浮動担保制度（小町谷・イギリス会社法概説四四一頁以下参照）にならい、会社の総財産を一体として企業担保権の目的とすることをみとめた企業担保法（昭和三三年法律一〇六号）の制定は、この点について、一つの道を開いたものである。同法について、香川保一「企業担保法について」法曹時報一〇巻六号、八号、九号参照。

第二項　営業譲渡の意義

一〇四　営業譲渡とは、営業財産および商人の地位を、譲渡することをいう。すなわち、

(1)　「営業財産」を、譲渡することである。営業財産とは、財産的価値をもち、具体的に、商人の営業を組織しているものをいう。動産、不動産、無体財産、債権、などの積極財産、および消極財産（債務）が、みな含まれる。ゆえに、その構成部分の個々的譲渡とはちがう。しかし、営業の一部の譲渡（商一二七、二四五Ⅰ1参照）は、その部分が一つの組織を維持するかぎり、やはり営業譲渡である。例えば支店の譲渡、または一つの商号によって数種の営業を経営している場合に、そのうちの一種を譲渡する場合が、それである。ただし、当該譲渡が、営業の一部譲渡なのか、営業財産の一部の、個々的譲渡なのかは、営業の同一性を害しない程度の、譲渡であるかないかによって、これを判断すべきである。

(2)　「商人の地位」の譲渡である。商人の活動を除いた営業は案山子であるから、営業の譲渡には、必ず商人の地位の譲渡を伴う（最高判・昭和四一・二・二三・最高民集二〇巻二号三〇二頁。反対説がある。例えば大隅・三二五頁、石井・一〇一頁）。そしてその譲渡は、商人の作為義務および不作為義務を伴う（一〇八番参照）。

一〇五　性　質　営業譲渡は、上述の二つの要素を含むから、一種の混合契約である。そして譲受人が対価を供する場合には、売買に関する関係を生ずるから、売買の規定を準用すべきである（例えば瑕疵担保責任、なお危険負担の例として、東京地判・昭和三・一二・八・新報一七二号二三、新商判集1一二五条三二参照）。

この契約は、当事者間の合意によって成立し、そのなかで、移転すべき財産の範囲、時期、その他の必要な事項がきめられる。また会社の場合には、その内部で特別の手続きが必要である（商一二七、一四七、二四五Ⅰ、有四〇Ⅰ、なお独禁一六ないし一七の二参照）。

一〇六　似而非営業譲渡　営業譲渡は、契約によって、営業を第三者に移転することであり、かつ、営業財産は各別に移転行為を必要とするから、(1)相続または遺贈による移転、(2)保険契約の包括移転(保業一一一以下)、(3)信託事務の承継(担社九七以下)、受託者の更迭(信託五〇以下)、(4)会社の合併(商一〇三、有六二)などは、営業譲渡でない。経営の委任(例、商二四五Ⅰ2参照)も、法律上は、譲渡の観念を含まないから営業譲渡でない。これに反して、営業の賃貸借(例、商二四五Ⅰ2)は、営業譲渡に準ずべきものである(一一二番参照)。

第三項　営業譲渡の効果

第一目　当事者間の効果

一〇七　営業財産の移転　営業譲渡の契約が成立すると、譲渡人は、営業に属する一切の財産を、譲受人に移転する義務を負う。ただし、営業の同一性を害しない範囲において、特約により、その範囲を限定することを妨げない(商二四五Ⅰ1、有四〇Ⅰ1、大判・明治三三・一一・一七・民録六輯一〇巻四二頁、新商判集1二五条二四、なお種々の例につき、同上二六ないし三一参照)。

営業財産の移転は、当事者間では、意思表示だけでその効力を生ずる(もっとも手形小切手その他の有価証券で、移転に特別の形式を要するものを除く)。ただし第三者対抗要件を具備するためには、各個の財産について、法定の手続(債権譲渡の通知、動産の占有移転、不動産の移転登記)を、ふまなければならない。これは、営業財産の一括譲渡の方法が、法律によって認められていないからである。

移転する営業財産中には、特約がないかぎり、積極財産のほか消極財産も含まれる。ゆえに譲受人は、譲渡人のために、その債権者に対して、債務の弁済をする義務を負担する(例として東控判・明治四五・七・一〇・新聞八一八号二〇頁、新商判集1二五条三四参照)。弁済の方法には制限がない。

一〇八　商人の地位の移転(一〇四番2参照)。

(1) 作為義務　譲渡人は譲受人に、営業の引継をしなければならない。すなわち、後者が営業をそのまま継続できるように、営業上の知識を与えることを要する（例えば仕入先や販路の指示、営業上の秘密の開示(一)、得意先への紹介、商業使用人や代理商との契約関係の引継(二)）。その範囲は、それぞれの場合でちがう。

一　近時新しく登場したノウ・ハウ（know-how）も、その一例である。これについては、大隅「ノウ・ハウとその譲渡」商法学論集―小町谷古稀記念―一頁以下、同「ノウ・ハウの現物出資」論叢七三巻一四二頁以下参照。なおこれを権利と認めず、かつ、その秘訣の利用の差止権をも認めなかった判例として、東京高決・昭和四一・九・五・判時四六四号三五頁参照。

二　被用者にとっては、民法第六二五条（または船員法第四五条）の適用があり（反対、大隅・三二三頁、大森・五二一頁）、代理商にとっては、商法第五一条の適用がある。

(2) 不作為義務　譲渡人は、営業に関して、譲受人に不利益を与えるような行為をしない義務を負う。その範囲も、各場合によってちがうが、商法は競業回避義務に関して、当事者の意思を補充する趣旨で、とくに、規定を設けた（商二五）。すなわち、

(a) 当事者が別段の意思表示をしなかったならば、譲渡人は、同市町村（商施五参照）および隣接市町村内において、二十年間、同一の営業をすることができない（商二五Ⅰ）。ゆえに、上述の区域外においては、同一の商号をもって、同一営業をすることを妨げない。また二十年の後には、上述の区域内においても、同一商号をもって、同一の営業を行なうことができる。ただし、右のいづれの場合も、不正競争回避義務（商二五Ⅲ）、および不正競争防止法第一条に抵触するおそれがある。

(b) 譲渡人が、同一営業をしない特約をしたときは、その特約は、同府県および隣接府県内で、かつ、三十年を

超えない範囲内でだけ、その効力がある（商二五Ⅱ）。けだし、競業回避の特約を無制限に認めることが、公益に反するからである（大判・大正七・五・一〇・民録二四輯八三六頁、新商判集1二五条四九）。そして、この特約がある場合にも、右の区域の内外を問わず、三十年経過後には、同一商号のもとに、同一営業を営むことを妨げない。しかし、次に述べる制限を常にうける。

(c)　譲渡人は、以上の義務のほか、不正の競争の目的をもって、同一の営業をしない義務を負担する（商二五Ⅲ）。不正の競争とは、譲受人の営業に不利益を与え、またはその継続を不能にするような行為をいう（例えば譲渡人と譲受人とを誤認させる行為、得意先を奪う行為―大判・大正七・一一・六・新聞一五〇二号二四頁、新商判集1二五条五七―なお商二〇条、前出七八番参照）。

第二目　第三者に対する効果

一〇九　営業譲渡については、営業財産の一括譲渡方法が認められていないから、その移転を第三者に対抗するためには、各財産ごとに、法定の手続を、ふまなければならない（一〇七番参照）。

一一〇　禁反言の原則　営業譲渡はまた、営業主体の交替を生ずるから、第三者に、その主体を誤認させるおそれがある。ゆえに法は、譲渡人の取引から生じた債権債務について、第三者の利益を保護するため、しばしば禁反言の原則（二五3注一参照）を表明している。

(1)　営業の譲受人が、従来の商号を続用する場合。

(a)　譲渡人の債権者の保護　右の場合には、譲渡人の営業によって生じた債務については、譲受人もまたその弁済の責に任ずる（商二六Ⅰ）。すなわち、譲渡人は、自己のした取引にもとづく債務につき、当然に履行の責に任ずるとともに、譲受人は、禁反言の原則により、譲渡人の債務を履行する義務を負い、ここに、不真正連帯債務関係を生ずることになる。

商法がかような規定をしたのは、譲受人が商号を続用するのは（続用がないと認めた例、最高判・昭三八・三・一・判時三三六頁、新商判集1二六条二、続用があると認めた例、上掲判例の原判決、福岡高判・

昭和三三・三・一九・高裁民集一一巻二号一六二頁、新商判集前掲三のほか、同上四ないし六参照）、大概、営業の全部譲渡があった場合であって、営業上の債権債務も、そのまま譲受人に移転するのが、常であるため、営業譲渡を知った債権者中には、譲受人が債務を承継したと信ずるとともに、譲受人の資力を信用して、譲渡人に弁済を求めないことがありうること、また、営業譲渡を知らなかった債権者は、譲渡人がいまも営業主であると信ずるとともに、譲渡人の資力を信用して、債権の取立をしないことがありうること、そして、かような場合に、もし譲受人が債務の承継を否認したり、営業主の交替を主張できるならば、債権者の利益が著しく害されること、を考えたためである。ゆえにまた、営業の譲渡があった後に、譲受人が譲渡人の債務については責任を負わない旨を、遅滞なく登記した場合、もしくは、譲渡人と譲受人とから、第三者に対して、同趣旨の通知を遅滞なくした場合に、第三者がその通知を受領したならば、譲受人には、上述のような債務を生じない（商二六Ⅱ）。けだし第三者には、上述のような信頼関係を、生じないからである（小町谷・時報八巻一二号四頁参照）。

「営業に因りて生じたる債務」とは、取引上の債務に限らない。営業に関連する不法行為または不当利得による債務をも含む（最高判・昭和二九・一〇・七・最高民集八巻一〇号一七九六頁、新商判集1二八条一参照）。

(b) 譲渡人の債務者の保護　営業の譲受人が、譲渡人の商号を続用する場合には、譲渡人の債務者が、営業譲渡の事実を知らないことが、しばしばある。ゆえに商法は、譲渡人の営業によって生じた債権について、債務者が譲受人に弁済をした場合に、その弁済は、その債務者が善意であり、かつ、重大な過失がなかったときに限って、その効力をもつものとしている（商二七、民四七八参照）（小町谷・前掲五頁参照）。

(2) 営業の譲受人が、従来の商号を続用しない場合　この場合には、(a)に述べたような信頼関係を生ずる余地がないのであるが、もし譲受人が、譲渡人の債権者に、かかる信頼を起こさせる行為をしたならば、もちろん、禁反言の原則を適用することを要する。商法が、譲受人において譲渡人の営業によって生じた債務を、引受ける旨を広告したときは、債権者が、その譲受人に対して、弁済の請求をすることができると規定したのは、このためである（商二八）（その広告があったと認めた例、最高判・昭和二九・一〇・七、広告がなかったと認めた例、最高判・昭和三六・一〇・一三・最高民集八巻一〇号一七九六頁、一五巻九号二三二一頁、新商判集1二七条一、二）。また譲受人が、広告以外の方法により、債権者を信頼させた場合、または取引以外の債務をも引受ける旨を、広告などの方法で表示して、債権者を信頼させた場合にも、右規定の立法趣旨からみて、同様に解すべきである。なお、譲渡人が、依然、債務を負担しているのは、いうまでもない。

一一一　右の(1)(2)にあげた事由（商二六I、二八）により、営業の譲受人が譲渡人の債務につき責に任ずる場合には、譲渡人の責任は、営業の譲渡または譲受人の債務引受の広告（商二八）の後二年内に、請求または請求の予告をしない債権者に対しては、二年を経過したときに消滅する（商二九）。これは、譲渡人と譲受人とが不真正連帯債務を負担することを要する結果、多くは譲渡契約において、債務の処置をきめるであろうから、譲渡人を、譲渡した営業関係から速かに脱退させて、譲受人だけに債務を負担させるのが、妥当であるためである。そして、請求の予告を認めたのは、条件つきまたは期限つきの債権のために、備えたものである。また、二年の期間は除斥期間である。

第四項　営業の賃貸借

一一二　営業の譲渡が認められるかぎり、その一時的譲渡ともいうべき営業の賃貸借は、もちろん有効である。そしてその効果は、営業の譲渡に準ずべきである。営業の賃貸借の目的物は、単なる物ではないから、営業の賃貸借は、純粋な賃貸借（民六〇一以下）ではないけれども、目的物の性質から別段の結果を生じないかぎり、賃貸借に関する民法の規定が、類推適用される。ただし、商号の賃貸借は、その登記方法がないから、商号とともに営業の賃貸借をするためには、営業の信託譲渡をするか、または、賃借人に事実上、商号を使用させるほかない（この問題については、大隅・三三頁以下、同・企業合同法の研究一八四頁以下参照）。

第四款　商業登記

第一項　総　説

一一三　沿　革　商業登記の制度は、中世のイタリアで発生したものであって、商号と密接な関係がある。けだし、商号の背後にある社員とか一般商人の、主として責任関係を公示するために、案出されたものだからである。

この公示方法は、貼札、引札などの簡単な方法から、同業組合の名簿にのせる登録となった。そしてその登録は、同業組合員に対する公示から、一般人に対する公示へと発展し、今日の登記制度の基礎に、なったのである。

一一四　目　的　商業登記の制度は、商人の信用維持と第三者の利益保護との調和を、はかったものである。いったい商人は、やむをえない場合のほか、営業組織を、できるだけ秘密にしようとする。これに反して、商人と取引をする第三者は、できるだけ、その商人の営業組織を知ろうとする。したがって、それをある程度公示すれば、第三者は、これに関して確実な知識をえ、これを基礎として取引をすることになる。ゆえに結局、商人の信用を増し、取引を早やめることになる。さらにこの公示によって、第三者対抗要件が備わることになれば、ますます、商人のために有利である。これが商法において、登記制度を設けた理由である。そして商法の公示主義は、ここに、最もよくあらわれているのである。もっとも商法は、個人商人と会社とにより、登記を命ずる範囲がちがっている。すなわち個人商人については、公示をすることに利害関係がないか、または著しく不利益をうけない事項で、しかも、第三者の利害に関係がある事項だけを、公示させる主義をとったに反し(例えば商五ないし七、一九、三一、四〇参照)、会社については、すべての会社に、その組織の公示を命じたほか(例えば商六四)、さらに株式会社には、財産状態の公示をも命じている(商八二)。けだし、会社ことに株式会社は、複雑な組織を有するだけでなく、大衆との交渉も広いし、国民経済とも密接な関係を有するために、広範囲の公示によって、第三者の利益を、厚く保護する必要があるとともに、これがかえって、会社の信用をたかめることにも、なるからである。

第二項　商業登記の意義

一一五　商業登記とは、商法および有限会社法の規定によって登記すべき事項を、法定の手続にしたがい、登記所において、商業登記簿に登記したものをいう（有一三Ⅲ、商登六参照）。すなわち、商業登記は

(1)　「登記所」においてする登記である。ゆえに、行政官庁においてする登録は、商業登記でない。

(2)　商法または有限会社法の規定によって登記すべき事項を、「商業登記簿」に登記したものである。ゆえに、他の法律による登記（例えば不動産の登記、民一七七）および、商法の規定によって、商業登記簿以外の帳簿にされる登記（例えば船舶登記、商六八六、船舶三四、船舶登記規則）は、商業登記でない。商業登記簿には、現在九種類のものがあって、商業登記法（昭三八法一二五）（味村治・詳解商業登記、鴻常夫・法学セミナー一九六三年一〇月号五五頁参照）が、それを定めている（商登六）。

(3)　法定の手続による登記であることを要する。その手続は、商業登記法の定めるところである（商登一四以下）。

第三項　登記事項

一一六　緒言　法は、商業登記が商人の信用維持と、第三者の利益保護とを目的とする点を汲んで、登記事項を定めた。ゆえに商人は、この範囲において登記をすることを要するとともに、この範囲外の事項の登記をすることができない。また、登記をしても無効である。けだしその登記を認めると、登記事項が煩雑になるし、登記事務の処理が遅れるからである。

商業登記の登記事項は、商人に関する一定の「事実」である。ゆえに「権利」の登記（例えば保存登記）とはちがう。

一一七 種　類　登記事項は、(1)登記義務者の種類により、一般商人に関する事項（例えば商一九、二六）、会社に関する事項の別を生じ、(2)登記の強制の有無により、絶対的登記事項（例えば商六四）と、相対的登記事項（例えば商一八八II4、一六八）とに分れ、(3)登記の効力により、免責的登記事項（例えば商二六II）と、設定的登記事項（例えば商一九、五七）との別を生ずる。

一一八 登記の通則　登記すべき事項は、商法または有限会社法が、諸所にこれを規定しているが、法はさらに登記事項に関して、二箇の特別規定を設けた。

(1) 本店の所在地において登記すべき事項は、別段の定めがないときは、支店の所在地においてもまた、これを登記することを要する（商一〇、有一三III）。

(2) 登記した事項に変更を生じ、または、その事項が消滅したときは、当事者は、遅滞なく変更または消滅の登記をすることを要する（商一五、有一三III）。もっともこの点は、各規定において、往々、反覆されている（例えば商三一、六七）。

第四項　登　記　手　続

一一九 申　請　登記は、当事者の申請によって、これをするのが原則である（当事者申請主義）（商九、一五、有一三III、商登四、五、一四、一五）。しかし例外的に、裁判所が職権で登記を嘱託する場合もある。例えば、会社の解散命令（商五八）破産（破一一九）に関する登記、株式会社の整理または特別清算もしくは更生手続の開始（会社更生一七）に関連する登記（商三八二、三八七、四〇〇、四三三、四五六I）がそれである。

一二〇 管轄登記所　管轄登記所は、申請人の営業所の所在地の法務局、地方法務局、その支局または出張所である（商九、商登一ないし三、一七以下）。

一二一 登記所の審査権　登記官には、登記の申請が、形式上適法であるかないかの、審査権だけがあるのか（形式的審査主義）、さらに進んで、申請事項の真偽についても、審査権があるのか（実質的審査主義）について、争いがあった（大決・大正一〇・一二・一二、大判・昭和一五・四・五、民録二七輯二一一四頁、新聞四五六三号一三頁、新商判集Ⅰ九条一、二は否定説）。そして最近制定された商業登記法（昭三八法一二五）は、登記官が登記の申請を却下すべき場合を、個別かつ具体的に明らかにした（商登二四）。それは、大体において、管轄、登記事項、添附書類などの、形式的事由に関するものであるが、実質的事由に関するものも若干ある（商登二四10、13ないし16参照）。

第五項　登記の公示

一二二　公示方法　商業登記の目的は、登記した事項を一般公衆に知らせることにある。ゆえに法は、四つの公示方法を認めた。登記簿の閲覧（商登一〇）、謄本または抄本の交付（商登一一Ⅰ前段）、登記所の証明（商登一一Ⅰ後段）、登記事項の公告（商一一、商登一〇ないし一三）がそれである。

一二三　公　告　登記した事項は、裁判所が遅滞なく、これを公告することを要する（商一一Ⅰ）。そこが、商業登記と不動産登記または船舶登記と、著しくちがう点であって、後二者が権利の登記であり、利害関係人に公示をすれば足りるのに反し、前者は事実を、利害関係人のみならず公衆にも公示し、広く取引の安全を保護する必要があることに、よるのである（回復登記はその性質上公告を要しない。大判・明治四二・七・七・民録一五輯六七五頁、新商判集1一二条一）。公告が登記と相違するときは、公告がなかったものと看做される（商一一Ⅱ）。その相違があるかぎり、登記事項を公示する目的が、達せられないからである。なお、登記簿の公開については、すでに述べた（一一二番）。

第六項　登記の効力

一二四　原　則　登記すべき事項は、登記および公告ののちでなければ、これを善意の第三者に対抗できない。登記および公告ののちに、第三者が正当の事由によってこれを知らなかった場合も、同様である（商一二）。ゆえに商業登記には、原則として、既存の法律関係を確保する効力（確保的効力）だけがあって、新たに法律関係を発生させる効力（創設的効力）がない。そして必要がある場合に、例外が認められているだけである（商一九、二〇、五七、一〇二、有四、五七、六三）。けだし、法律関係の効力を登記にかからせるのは、自由を尊ぶ取引に、不必要な拘束を加えることになるからである。

(1) 登記前の効力　登記すべき事項は、その登記および公告前には、それを善意の第三者に対抗できない（消極的公示の原則）。

(a) 登記すべき事項とは、広い意味であって、新たな事実だけでなく、既存の登記事項の変更または消滅をも含む（商一五参照）。

(b) 登記事項を、善意の第三者に対抗できない。しかし善意の第三者が、登記事項の存在を主張するのは妨げない。そしてこのことは、間接に登記を促進することになる。善意の第三者とは、登記事項を知らない第三者をいう（知、不知はその者の行為の時を標準とする。大判・大正四・一二・一・民録二一輯一九五五頁、新商判集1一二条七）。知らないことに過失があるかないか、知らないことが、その意思決定に影響したかどうかを問わない（通説である）。また、登記事項を主張しえないのは、その事項の当事者であって、第三者相互間においては、登記公告の有無は、無関係である（最高判・昭和二九・一〇・一五・最高民集八巻一〇号一八九九頁、新商判集1一二条二）。なお、悪意の第三者に対して、いつでも登記事項を対抗できるのは、いうまでもない。かつまた、商法第一二条の目的に徴し、第三者の権利義務が、不法行為又は不当利得によって生じた場合には、その法律関係が、その第三者との取引関係から間接に生じた場合のほか、右規定の適用がない、と解すべきである（大隅・二八一頁、大森・二二九頁）。

(c) 登記および公告があることを要する（ただし暫定措置としての、法務局設置に伴う関係法律の整理に関する附則九、一〇参照）。ゆえに、登記があって公告がないあいだは、登記事項を、善意の第三者に対抗できない（登記の存在は公告を推定しない。大判・昭和一〇・一一・二六・法学五巻六五一頁、新商判集1一二条四）。公告が登記と相違する場合も同様である（商一一Ⅱ、一二三番参照）。そして、かような欠陥が、申請人の過失によるかどうかは、問題でない。

(d) 支店の所在地において登記すべき事項を、登記しなかったときは、その支店で行なった取引についてだけ、

第一二条に定めた効果を生ずる(商一三)。すなわち、「支店における取引」については、支店所在地における登記および公告の有無が、第三者対抗要件の有無をきめるのである。ただし、本店の所在地において、すでに登記および公告がしてあるときには、第三者が、事実上悪意である場合が、ありうるわけである。

(2)　登記公告後の効力　登記すべき事項は、登記および公告ののちは、善意の第三者にも対抗できる(積極的公示の原則)。ただし、第三者が正当の事由(一)によって、これを知らなかった場合には、対抗できない。正当な事由の認定は、厳格にするのが妥当である。けだし右の不知については、申請者にも第三者にも、過失がないのであるから、公示の目的を迅速に達成させるためである(西原・三八〇頁)。

一　登記公告の了知を妨げる客観的事実、例えば交通杜絶の事実があることを要し、主観的事実例えば病気、海外旅行ではいけない。東京高判・昭和四一・六・二九・東京高裁判決時報一七巻六号民一三〇頁、東京地判・昭和二五・七・二四、下級民集一巻七号一一三七頁、新商判集1 一二条一八。

一二五　例　外　商法第一二条に対しては、法が二つの点から例外を認めている。

(1)　商業登記に創設的効力を認める場合が、その一つである。商号の登記による専用権の発生(商一九、二〇)、会社の設立登記による法人格の取得(商五七、有四)、会社の合併登記による合併の効力発生(商一〇二、有六三)が、すなわちその場合である。これは、登記を当該事実の効力発生の要件にすることによって、法律効果を画一的にし、法律関係の簡明化をはかったものである。

(2)　第三者対抗要件を軽減する場合が、他の一つであって、商号譲渡の登記(商二四II)がそれである。この場合には、登記だけで足り、公告を要しないとともに、第三者が、正当の事由により、登記を知らなかった場合でも、対抗力を生ずる。しかし、その適用範囲については争いがある(通説、例えば本書旧版一二五番、松本・二二八頁、田中耕・三八七頁、田中誠・二九三頁、石井・一二四頁、大森・一四四頁、二三四頁は、適用に制限を設けないに反し、

（竹田・総則一九四頁は商法一二条の適用をも認める）。商法第二四条第二項は、商号権の得喪を問題にする場合にだけ、適用されるのであって、譲渡の対象となった商号によって行なわれた取引から生ずる法律関係については、その適用がなく、商法第一二条の適用があると解すべきである（西原・三八四頁以下、大隅・二八三頁）。

一二六　登記の公信力　商業登記は、特定の事実の登記であるから、存在しない事実、または真実でない事実の登記は、理論上無効である。しかし、善意の第三者は登記に信頼するから、その利益を保護する必要がある。ゆえに商法は、故意または過失により、不実の事項を登記した者は、その事項の不実なことをもって、善意の第三者に対抗できない旨を定めて、登記そのものに、一種の公信力を認めた（商一四）。禁反言の原則の一適用例である。立法論としては、申請者が（他人が申請者名義を冒用した場合を除く）、善意無過失で不実の登記をした場合にも、登記の公信力を認めるべきであろう（一）。

一　無権限者によって、不実の登記がなされたことを知りながら、その登記の抹消手続を怠った者にも、本条を適用すべきである（大隅・二九三頁、大森・二三七頁、田中（誠）・二九二頁）。

なお東京地判・昭和三一・九・一〇・下級民集七巻九号二四四頁、東京高判・昭和四一・五・一〇・下級民集一七巻五・六合併号三九五頁、小町谷評釈（判旨賛）ジュリスト四〇八号一三〇頁参照。

商法条文索引

昭和四十二年四月十日　初版第一刷発行
昭和四十五年五月十日　初版第五刷発行

小町谷　商法講義　総則

著作者　小《こ》町《まち》谷《や》操《そう》三《ぞう》
　　　　窪《くぼ》田《た》宏《ひろし》

発行者　江《え》草《ぐさ》忠《ただ》允《あつ》

東京都千代田区神田神保町二丁目十七番地
発行所　株式会社　有斐閣
電話東京（二六四）一三一一（大代表）
郵便番号〔101〕　振替口座東京三七〇番
本郷支店〔113〕　文京区東京大学正門前
京都支店〔606〕　左京区北白川追分町一

印刷　株式会社　精興社
製本　明泉堂　製本所

小町谷商法講義　総則（オンデマンド版）

2013年3月15日　発行

著　者　　小町谷　操三・窪田　宏
発行者　　江草　貞治
発行所　　株式会社 有斐閣
〒101-0051　東京都千代田区神田神保町2-17
TEL　03(3264)1314(編集)　03(3265)6811(営業)
URL　http://www.yuhikaku.co.jp/

印刷・製本　　株式会社 デジタルパブリッシングサービス
URL　http://www.d-pub.co.jp/

AG615

ISBN4-641-91141-X